WINDOWS ON THE WORLD

DU MÊME MOTEUR

MÉMOIRES D'UN JEUNE HOMME DÉRANGÉ, *roman*, La
Table Ronde, 1990 ; « La Petite Vermillon », 2001.

VACANCES DANS LE COMA, *roman*, Grasset, 1994 ; Le Livre
de Poche, 1996.

L'AMOUR DURE TROIS ANS, *roman*, Grasset, 1997 ; Folio,
n° 3518.

NOUVELLES SOUS ECSTASY, L'Infini / Gallimard, 1999 ;
Folio, n° 3401.

99 FRANCS (14,99 EUROS), *roman*, Grasset, 2000 (et 2002).

DERNIER INVENTAIRE AVANT LIQUIDATION, *essai*,
Grasset, 2001 ; Folio, n° 3823.

RESTER NORMAL *(avec Philippe Bertrand)*, Dargaud,
2002.

FRÉDÉRIC BEIGBEDER

WINDOWS ON THE WORLD

roman

BERNARD GRASSET
PARIS

« Et toi Emblème qui flottes au sommet de tout !
Un mot pour toi, beauté fragile (mot qui te sera peut-être
   salutaire),
Rappelle-toi que tu ne fus pas toujours aussi confortablement installé en souveraineté,
Car je t'ai naguère observé en d'autres circonstances,
   cher drapeau,
Où tu n'étais pas si pimpant ni florissant en tes plis de
   soie immaculée,
Car je t'ai vu maigre décoration déchirée en lambeaux
   sur ta hampe éclissée,
Ou même tenue désespérément serrée contre la poitrine
   d'un jeune porte-enseigne,
Enjeu d'une lutte sauvage à la vie à la mort, une lutte
   interminable,
Dans le tonnerre des canons, l'avalanche des jurons, des
   cris, des gémissements, le claquement sec des décharges
   des fusils,
L'assaut confus de masses pareilles à des démons en
   furie, le gaspillage des risques pris par la vie,
Oui, pour ta pauvre relique maculée de boue et de
   fumée, détrempée de sang,
Dans cet unique but en effet, ma beauté, et pour qu'un
   jour tu puisses à nouveau parader là-haut tout frin-
   gant,
J'aurai vu s'affaisser plus d'un homme. »

WALT WHITMAN, *Leaves of Grass*, 7 septembre 1871
             (traduction de Jacques Darras).

« *KILL THE ROCKEFELLERS !* »

KURT COBAIN, *Journal*, 2002.

Pardon Chloë
De t'avoir entraînée
Sur cette terre dévastée

Aux 2801.

PARATONNERRES :

« Je pense qu'un romancier qui n'écrit pas des romans réalistes ne comprend rien aux enjeux de l'époque où nous vivons. »

Tom Wolfe

« La fonction de l'artiste est de plonger au cœur de l'enfer. »

Marylin Manson

8 h 30

Vous connaissez la fin : tout le monde meurt. Certes, la mort arrive à pas mal de gens, un jour ou l'autre. L'originalité de cette histoire, c'est qu'ils vont tous mourir en même temps et au même endroit. Est-ce que la mort crée des liens entre les hommes ? On ne dirait pas : ils ne se parlent pas. Ils font la gueule, comme tous ceux qui se sont levés trop tôt et mastiquent leur petit déjeuner dans une cafétéria de luxe. De temps en temps, certains prennent des photos de la vue, qui est la plus belle du monde. Derrière les immeubles carrés, la mer est ronde ; les sillages des bateaux y dessinent des formes géométriques. Même les mouettes ne vont pas aussi haut. La plupart des clients du *Windows on the World* ne se connaissent pas entre eux. Lorsque leurs regards se croisent par mégarde, ils raclent leur gorge et replongent illico dans les journaux. Début septembre, tôt le matin, tout le monde est de mauvaise humeur : les vacances sont terminées, il faut tenir bon jusqu'à Thanksgiving. Le ciel est bleu mais personne n'en profite.

11

Dans un instant, au *Windows on the World*, une grosse Portoricaine va se mettre à crier. Un cadre en costume-cravate aura la bouche bée. « Oh my God. » Deux collègues de bureau resteront muets de stupéfaction. Un rouquin lâchera un « Holy shit ! » La serveuse continuera de verser son thé jusqu'à ce que la tasse déborde. Il y a des secondes qui durent plus longtemps que d'autres. Comme si l'on venait d'appuyer sur la touche « Pause » d'un lecteur de DVD. Dans un instant, le temps deviendra élastique. Tous ces gens feront enfin connaissance. Dans un instant, ils seront tous cavaliers de l'Apocalypse, tous unis dans la Fin du Monde.

8 h 31

Ce matin-là, nous étions au sommet du World, et j'étais le centre de l'univers.

Il est huit heures et demie du matin. Je sais, c'est un peu tôt pour emmener ses gamins en haut d'un building. Mais mes fils tenaient beaucoup à petit-déjeuner ici, et je ne sais rien leur refuser : je culpabilise d'avoir largué leur mère. L'avantage de se lever tôt, c'est qu'on évite de faire la queue. Au rez-de-chaussée, depuis l'attentat de 1993, ils ont triplé les contrôles d'identité, il faut des badges spéciaux pour aller bosser, les vigiles ne plaisantent pas en fouillant votre sac. Jerry a même fait sonner le portique détecteur de métal avec sa boucle de ceinture à l'effigie de Harry Potter. Dans l'atrium high-tech, les fontaines font des gargouillis discrets. Le breakfast est sur réservation : j'ai dit mon nom au desk du *Windows on the World* en arrivant. « Good morning, my name is Carthew Yorston. » On est tout de suite dans l'ambiance : tapis rouge, cordon de velours torsadé, private elevator. Dans ce hall de gare (30 mètres sous plafond), le pupitre du restaurant fait office de

13

Comptoir Première Classe. Excellente idée de se pointer avant le rush. Il y a moins d'attente pour regarder dans les télescopes (en glissant 25 cents, on peut contempler l'arrivée des secrétaires dans tous les immeubles alentour, rivées à leur portable, serrées dans des tailleurs-pantalons gris clair, chevelures permanentées, en baskets, avec leurs escarpins planqués dans leur faux sac Prada). C'est la première fois que je monte au sommet du World Trade Center : mes deux fils ont adoré les ascenseurs rapides qui gravissent les 78 premiers étages en 43 secondes. La vitesse est telle qu'on sent son cœur bondir dans sa cage thoracique. Ils ne voulaient plus partir du Sky-lobby. Au bout de quatre aller et retour, j'ai dû me fâcher :

— Allez, ça suffit ! Ce sont des ascenseurs pour les gens qui travaillent, y a pas marqué Space Mountain !

Une hôtesse du restaurant, identifiable à son pin's accroché au col, nous a accompagnés jusqu'à l'autre ascenseur, l'omnibus qui élève au 107ᵉ niveau. Notre programme pour la journée est chargé : breakfast au *Windows on the World*, puis promenade dans Battery Park, afin de prendre le Staten Island Ferry (gratos !) pour la statue de la Liberté, ensuite visite du Pier 17, un peu de shopping à South Street Seaport, quelques photos devant le Brooklyn Bridge, un tour au marché aux poissons pour la bonne odeur, et enfin un hamburger saignant au *Bridge Cafe*. Les garçons adorent les gros

14

steaks hachés juteux couverts de ketchup. Et les Large Coke pleins de glace pilée, du moment qu'ils ne sont pas Diet. Les enfants ne pensent qu'à bouffer, les parents qu'à baiser. De ce côté-là, ça va bien, merci : peu de temps après mon divorce, j'ai rencontré Candace qui travaille chez Elite New York. Vous verriez son composite... A côté, Kylie Minogue fait vieille peau. Elle vient tous les soirs me grimper dessus à l'*Algonquin* en râlant (elle préfère le *Royalton* de Philippe Starck qui est dans la même rue) (c'est parce qu'elle ne connaît pas Dorothy Parker) (penser à lui faire lire *la Vie à deux* pour la dégoûter du couple).

Dans deux heures je serai mort, mais peut-être suis-je déjà mort.

8 h 32

On sait peu de chose sur le *Windows on the World* de ce matin-là. Le *New York Times* indique qu'à 8 h 46, heure de l'entrée du vol 11 d'American Airlines dans les étages 94 à 98, 171 personnes se trouvaient dans le restaurant du toit, dont 72 employés. On sait qu'une entreprise (le Risk Water Group) avait organisé un petit déjeuner de travail dans un salon privé au 106e étage, mais que toutes sortes de clients petit-déjeunaient aussi au 107e comme tous les matins. On sait que la tour Nord (la plus haute des deux, avec l'antenne sur le toit qui la faisait ressembler à une seringue hypodermique) fut la première touchée et la dernière à s'effondrer, à 10 h 28 précises. Il y a donc un laps de temps d'exactement une heure trois quarts. L'enfer dure une heure trois quarts. Ce livre aussi.

J'écris ceci au *Ciel de Paris*. C'est le nom du restaurant situé au 56e étage de la tour Montparnasse. 33, avenue du Maine, 75015 Paris. Téléphone : 01 40 64 77 64. Fax : 01 43 22 58 43. Métro : Montparnasse-Bienvenüe. Ils servent le petit déjeuner dès 8 h 30 du matin. Cela fait des semaines que je prends

16

mon café ici tous les jours. D'ici l'on peut toiser la tour Eiffel d'égal à égal. La vue est splendide puisque cet endroit est le seul de Paris d'où l'on ne voit pas la tour Montparnasse. Autour de moi des hommes d'affaires crient dans leurs portables pour faire profiter leurs voisins de leurs conversations à la con :

— Ecoute, on va dire que je te le signe noir sur blanc, ça a été acté à la dernière réunion.

— Non, non, je vous répète ce que Jean-Philippe m'a spécifié, ce n'est pas négociable.

— On est dans un marché de spielers !

— Oui eh bien écoutez, il faut savoir se couper un bras.

— Vous savez ce qu'on dit : Rockefeller a fait fortune en achetant toujours trop tard et en vendant toujours trop tôt.

— OK, ça roule comme on a dit, ma secrétaire te le maile et on se reconfirme tout ça.

— Ni une ni deux : la valeur a splitté mais le flottant est toujours aussi limité.

— Je vais te dire un truc : tant que les zinzins n'interviennent pas pour le soutenir, faut savoir que le marché est actuellement tenu par les edges.

— J'étais long de call CAC, le marché étant bearish, je me suis fait tarter.

Ils abusent aussi de l'adverbe « absolument ». Pendant que je recopie ce que disent les apprentis Maîtres du Monde, une serveuse m'apporte des croissants, un café crème, des petits pots de confiture Bonne Maman et deux

17

œufs à la coque. Je ne me souviens plus comment étaient habillées les serveuses du *Windows on the World* : il faisait nuit quand j'y ai mis les pieds pour la première et dernière fois. Ils devaient embaucher des blacks, des étudiantes, des comédiennes au chômage, ou bien de gentilles filles du New Jersey avec des tabliers étroits sur leurs gros nichons nourris au maïs. Attention : c'était pas le McDo, le *Windows on the World*, c'était du restaurant grand style, avec grosse addition à la clé (35 $ le brunch, service non compris). Tel : 212-938 1111 ou 212-524 7 000. Réservation conseillée longtemps à l'avance et veste exigée. J'ai essayé d'appeler, on tombe désormais sur le répondeur d'un service de location de spectacles. Je suppose que les serveuses devaient être plutôt jolies, en tenue élaborée : tailleur beige avec les initiales « WW » ? look de femmes de chambre à l'ancienne avec la petite robe noire qu'on a envie de trousser ? tailleur-pantalon ? smoking Gucci dessiné par Tom Ford ? Il est désormais impossible d'aller vérifier. L'écriture de ce roman hyperréaliste est rendue difficile par la réalité elle-même. Depuis le 11 septembre 2001, non seulement la réalité dépasse la fiction mais elle la détruit. On ne peut pas écrire sur ce sujet mais on ne peut pas écrire sur autre chose non plus. Plus rien ne nous atteint.

Dehors mon regard est attiré par chaque avion qui passe. Pour que je puisse décrire ce qui est arrivé de l'autre côté de l'Atlantique, il faudrait qu'un avion entre sous mes pieds dans cette tour noire. Je sentirais l'immeuble tanguer; cela doit faire une drôle d'impression. Quelque chose d'aussi dur qu'un gratte-ciel, en train de se balancer comme un bateau ivre. Tant de verre et d'acier instantanément transformé en fétu de paille. De la pierre molle. C'est une des leçons du World Trade Center : nos immeubles sont meubles. Ce que nous croyons stable est mouvant. Ce que nous imaginons solide est liquide. Les tours sont mobiles, et les gratte-ciel grattent surtout la terre. Comment quelque chose d'aussi énorme peut-il être détruit aussi vite ? Tel est le sujet de ce livre : l'effondrement d'un château de cartes de crédit. Si un Boeing entrait sous mes pieds, je saurais enfin ce qui me torture depuis un an : je saurais la fumée noire qui monte du sol, la chaleur qui fait fondre les murs, les fenêtres explosées, la suffocation, la panique, les suicides, la course vers les escaliers en flammes, les larmes et les cris, les coups de téléphone désespérés. Cela ne m'empêche pas de pousser un soupir de soulagement en voyant s'éloigner chaque avion dans le ciel blanc. Pourtant c'est arrivé. Cet événement a existé, et on ne peut pas le raconter.

Fenêtres sur le Monde. Ma première impression consiste à trouver ce nom assez prétentieux. Un peu mégalo sur les bords, surtout pour le restaurant d'un gratte-ciel où sont regroupées sociétés de courtage, banques et marchés financiers. On peut voir cet intitulé comme une preuve supplémentaire de l'arrogance américaine : « Notre établissement surplombe le centre névralgique du capitalisme mondial et vous emmerde cordialement. » En fait il s'agissait d'un jeu de mots sur le World Trade Center. *Fenêtres sur le World*. Comme d'habitude, avec mon aigreur franchouillarde, je vois de la suffisance là où il n'y avait que de la lucidité ironique. Comment aurais-je baptisé le restaurant situé au dernier étage du World Trade Center ? « Roof of the World » ? « Top of the World » ? C'eût été encore pire. Totalement puant. Pourquoi pas « King of the World » comme Leonardo Di Caprio dans *Titanic*, tant qu'on y est ? (« Le World Trade Center est notre *Titanic* », a déclaré le maire de New York, Rudolph Giuliani, au lendemain de l'attaque.) Bien sûr, a posteriori, mon sang d'ex-créatif publicitaire ne fait qu'un tour : il y aurait eu un nom magnifique pour cet endroit, une marque sublime, humble et poétique. « END OF THE WORLD. » En anglais, « end » ne signifie pas seulement la fin mais aussi l'extrémité. Comme ce restaurant se situait sous le toit, « End of the World » voulait dire « à un bout de la tour ». Mais les Américains n'aiment pas ce type d'humour ; ils sont très superstitieux. C'est pourquoi il n'y a jamais de treizième étage dans leurs buildings. Finalement *Windows on the World* était un nom très seyant. Et puis vendeur, sinon pourquoi Bill

20

Gates aurait-il choisi de baptiser lui aussi « Windows » son célèbre logiciel, quelques années plus tard ? *Fenêtres sur le Monde*, ça le faisait, comme disent les jeunes. Ce n'était certes pas la vue la plus haute du monde : le World Trade Center culminait à 420 mètres, alors que les tours Petronas à Kuala Lumpur mesurent 452 mètres et la Sears Tower à Chicago 442. Les Chinois sont en train de construire la plus haute tour du monde à Shanghaï : le Shanghai World Financial Center (460 mètres). J'espère que ce nom ne leur portera pas malheur. J'aime bien les Chinois : le seul peuple capable d'être à la fois très capitaliste et très communiste.

8 h 33

D'ici les taxis paraissent des fourmis jaunes perdues dans un labyrinthe quadrillé. Sous la direction de la famille Rockefeller et de l'autorité portuaire de New York, les Twin Towers ont été imaginées par l'architecte Minoru Yamasaki (1912-1982) associé à la firme Emery Roth and Sons. Deux tours de 110 étages d'acier lesté de béton. 406 000 m^2 chacune. 21 800 fenêtres et 104 ascenseurs dans chaque tour. 2 700 m^2 de bureaux par étage. Je sais tout ça parce que c'est un peu mon métier. Chaînette inversée à section triangulaire de 16,5 mètres de côté à la base et 5,2 au sommet, empattement de 192 mètres, doubles parois de 91 cm à 19,7 cm d'épaisseur, poids 290 000 tonnes (dont 12 127 de béton). Coût : 400 millions de dollars. Prix de l'Innovation Technologique du National Building Museum. J'aurais aimé être architecte, je ne suis qu'agent immobilier. 250 000 pots de peinture par an pour l'entretien. 49 000 tonnes d'équipement pour l'air conditionné. Chaque année, plus de deux millions de touristes visitent le WTC. La construction du complexe a commencé en 1966 et duré plus de dix ans. Les mauvaises langues l'ont vite surnommé « les blocs de Lego » ou « David et Nelson ». Moi, je ne les déteste pas ; j'aime bien quand les nuages s'y reflètent. Mais aujourd'hui il n'y a pas de nuages. Mes enfants se gavent de pancakes au sirop d'érable. Ils se disputent le beurre. J'aurais aimé avoir une fille, pour voir ce que ça fait d'avoir un enfant calme, qui ne soit pas en compétition permanente avec le reste de l'univers. L'air conditionné est gelé. Je ne m'y habituerai jamais. Dans la capitale du monde, au *Windows on the World*, une clientèle huppée peut contempler le sommet des choses de l'Occident, mais se gèle les couilles comme jamais. La climatisation fait un bruit de fond incessant, un tapis sonore qui bourdonne comme un réacteur d'avion dont on aurait baissé le volume ; je trouve épuisante cette absence de silence. Chez nous, au Texas, on aime bien crever de chaud. On est habitués. Ma famille descend du deuxième président des Etats-Unis : John Adams. Les Yorston ont un bisaïeul nommé William Harben qui est l'arrière-petit-fils du rédacteur de la déclaration d'Indépendance. C'est pourquoi je suis membre de l'association « Sons of the American Revolution » (initiales SAR, comme pour « Son Altesse Royale »). Attention : en Amérique aussi, nous avons nos aristos. Et j'en fais partie. Ma famille est fauchée mais j'en fais partie. Beaucoup d'Américains se vantent d'être apparentés à un des « signataires » de la déclaration

23

d'Indépendance. Cela ne sert à rien, mais nous rassure. Non, monsieur Faulkner, il n'y a pas que des attardés mentaux alcooliques et violents dans le sud des Etats-Unis. Je fais exprès de parler avec l'accent texan quand je suis à New York. « Yeap! » au lieu de « Ya ». Je suis aussi snob que les vraies fins de race européennes. Ici nous les baptisons « Eurotrash », tous les godelureaux d'*Au Bar*, les gandins décadents qui trônent sur les fichiers de Marc de Gontaut-Biron et les photos de *Paper Magazine*. On se fout de leur gueule mais on a aussi les nôtres, les... American Trash? Je suis un Red Neck, membre de l'American Poubelle. Mais mon nom est moins connu que Getty, Guggenheim ou Carnegie parce que mes ancêtres ont tout dilapidé plutôt que de se payer des musées.

En collant leur visage contre la vitre, mes enfants jouent à se faire peur.

— Même pas cap' de regarder en bas avec les mains dans le dos!

— Oh my Gosh! Freaky!

— Chicken! T'es qu'un trouillard!

Je leur raconte qu'en 1974, un funambule français nommé Philippe Petit a illégalement tendu un câble entre les deux tours à cette hauteur et marché dessus, malgré le vent, le froid, le vertige. Les petits me demandent : « C'est quoi un Français? » Je leur apprends que la France est un petit pays d'Europe qui a aidé

24

l'Amérique à se libérer du joug des Anglais entre 1776 et 1783, et que, pour les remercier, nos soldats les ont délivrés des nazis en 1944. (Je simplifie un peu pour raisons pédagogiques.)

— Vous voyez la statue de la Liberté, là-bas ? C'est un cadeau de la France à l'Amérique. Un peu kitsch mais bon, c'est l'intention qui compte.

Mes garçons s'en foutent même s'ils apprécient les « french fries » et les « french toasts ». En ce qui me concerne, je préfère les « french kiss » et les « french rubbers ». Et *French Connection*, avec la poursuite de bagnoles sous le métro aérien !

A travers les Fenêtres du Monde, la ville s'étend comme un damier géant, avec ses angles droits, ses cubes perpendiculaires, ses carrés adjacents, ses rectangles limitrophes, ses lignes parallèles, ses réseaux de stries, toute une géométrie artificielle, grise, blanche et noire, les avenues tangentes comme des couloirs aériens, les ruelles transversales comme tracées au marqueur, les tunnels comme des taupinières de brique rouge ; vue d'ici la traînée de bitume mouillé derrière les camions de nettoyage ressemble à la bave que laisseraient des limaces en aluminium sur du contreplaqué.

L'Amérique à sa libéré ou tué des Améri-
...

8 h 34

Je vais souvent me recueillir devant une plaque de marbre, au 56, rue Jacob. Les touristes américains devraient tous se rendre au 56, rue Jacob en pèlerinage, au lieu de se prendre en photo devant le tunnel de l'Alma en souvenir de Dodi et Diana. C'est ici, à l'hôtel d'York, que le traité de Paris a été signé le 3 septembre 1783 par John Adams et Benjamin Franklin, mettant fin à la guerre d'Indépendance avec les Anglais. Ma mère habite à côté ; un peu plus loin, derrière un arbre, se cachent les éditions du Seuil. Les passants traversent la rue devant ce vieil immeuble, sans se douter que c'est ici, à deux pas du *Café de Flore*, que les Etats-Unis d'Amérique sont nés. Peut-être préfèrent-ils l'oublier ?

8 h 34 au *Ciel de Paris*. Le luxe des « skyscrapers », c'est de permettre à l'être humain de monter au-dessus de lui-même. Tout gratte-ciel est une utopie. Le vieux fantasme de l'homme a toujours été de bâtir ses propres montagnes. En élevant des tours jusqu'aux nuages, l'être humain se prouve à lui-même qu'il est plus

26

grand que la nature. Et c'est vraiment ce que l'on ressent en haut de ces fusées de béton, d'aluminium, de verre et d'acier : l'horizon m'appartient, je dis adieu aux embouteillages, aux égouts, aux trottoirs, je suis l'homme au-dessus de la terre. On ne ressent pas une ivresse de puissance mais de fierté. Il n'y a rien d'orgueilleux là-dedans. Simplement la joie de se savoir capable de se hisser plus haut que n'importe quel arbre et :

« *Nuages je suis monté au milieu de vous pour me rendre aux continents lointains et descendre avec vous, en pluies précises,*
Souffles du vent j'ai soufflé en même temps que vous,
Et vous, vagues, semblablement j'ai caressé avec vos doigts liquides les rives les plus reculées,
J'ai parcouru la route que parcourent toutes les rivières, tous les canaux du globe,
Je me suis tenu debout au promontoire des péninsules et depuis les hautes tables rocheuses j'ai crié :
Salut au monde !
Les cités où pénètrent la lumière, la chaleur, j'y pénètre moi aussi,
Les îles que relient les oiseaux sur leurs ailes, j'y vole moi aussi.
Mon salut à vous tous au nom de l'Amérique,
Voici mon signal, ma main perpendiculairement dressée,
Visible à jamais après moi
Par toutes les demeures, les maisons où habite l'homme. »

Le titre original de ce poème de Whitman est *Salut au monde !* (en français dans le texte). Au XIXe siècle, les poètes américains parlaient français. J'écris ce livre parce que j'en ai marre de l'antiaméricanisme hexagonal. Mon penseur français préféré, c'est Patrick Juvet : « I love America. » Puisque la guerre est déclarée entre la France et les États-Unis, il faut faire gaffe à bien choisir son camp si l'on ne veut pas être tondu après.

Mes écrivains préférés sont américains : Walt Whitman, donc, mais aussi Edgar Allan Poe, Herman Melville, Francis Scott Fitzgerald, Ernest Hemingway, John Fante, Jack Kerouac, Henry Miller, J.D. Salinger, Truman Capote, Charles Bukowski, Lester Bangs, Philip K. Dick, William T. Vollman, Hunter S. Thompson, Bret Easton Ellis, Chuck Palahniuk, Philip Roth, Hubert Selby Jr, Jerome Charyn (qui vit à Montparnasse).

Mes musiciens préférés sont américains : Frank Sinatra, Chuck Berry, Bob Dylan, Leonard Bernstein, Burt Bacharach, James Brown, Chet Baker, Brian Wilson, Johnny Cash, Stevie Wonder, Paul Simon, Lou Reed, Randy Newman, Michael Stipe, Billy Corgan, Kurt Cobain.

Mes cinéastes préférés sont américains : Howard Hawks, Orson Welles, Robert Altman, Blake Edwards, Stanley Kubrick, John Cassavetes, Martin Scorsese, Woody Allen, David Lynch, Russ Meyer, Sam Raimi, Paul Thomas Anderson, Larry Clark, David Fincher, M. Night Shyamalan.

La culture américaine n'écrase pas la planète pour des raisons économiques mais par son talent spécifique. Il est trop facile de réduire son emprise à une manipulation politique, comme le font souvent les démagogues, comparant Disney à Hitler ou Spielberg à Satan. L'art américain est en perpétuel renouvellement, puisque profondément ancré dans la vie réelle. Les artistes américains cherchent toujours la nouveauté, mais une nouveauté qui nous parle de nous-mêmes. Ils savent concilier l'invention avec l'accessibilité, la création originale avec l'envie de séduire. Molière aussi cherchait le profit, et Mozart le succès public : cela n'a rien de déshonorant. Les artistes d'Amérique pondent moins de théories que leurs homologues européens, parce qu'ils n'ont pas le temps, trop occupés qu'ils sont par la pratique. Ils s'emparent du monde, se collettent avec lui, et en le décrivant, ils le transforment. Les auteurs américains croient être naturalistes mais sont tous marxistes ! Ils sont très critiques avec leur propre nation. Aucune démocratie n'est plus contestée au monde par sa propre sphère littéraire. Le cinéma indépendant et underground américain est le plus subversif qui soit. Les artistes des Etats-Unis embarquent dans leurs rêves le reste du monde parce qu'ils sont plus courageux, plus travailleurs, et qu'ils osent se moquer de leur propre pays. Beaucoup estiment que les artistes européens ont un complexe de supériorité vis-à-vis de leurs homologues américains mais ils se trompent : c'est un complexe d'infériorité. Il entre dans l'antiaméricanisme une bonne part de jalousie et d'amour déçu. Au fond, le reste du monde admire les œuvres américaines et reproche aux Etats-Unis de ne pas rendre la pareille. Un symbole éclatant ? L'accueil réservé à James Lipton (présentateur de l'émission *Actor's Studio*) par Bernard Pivot lors de la dernière de *Bouillon de culture*. L'animateur de la meilleure émission littéraire de l'Histoire de la télévision française semblait tout intimidé face à Lipton, journaliste flagorneur et ampoulé organisant sur une petite chaîne câblée des conférences hagiographiques en présence d'acteurs hollywoodiens. Pivot, l'inventeur d'*Apostrophes*, l'homme qui avait interviewé tous les plus grands écrivains de son temps, n'en revenait pas d'être cité outre-Atlantique par un vil flatteur précieux !

Ce qui nous gêne n'est pas l'impérialisme américain mais le chauvinisme américain, son isolationnisme culturel, l'absence totale de curiosité des Américains envers les travaux des étrangers (sauf à New York et San Francisco). La France aujourd'hui a le même rapport avec les Etats-Unis que la province avec Paris : mélange d'admiration et de rejet, désir d'en être, gloire d'y résister. On veut tout savoir sur eux pour pouvoir hausser les épaules d'un air dédaigneux. Etre au courant des dernières tendances, des nouveaux endroits, des ragots new-yorkais, afin de souligner ensuite à quel point on est bien ancré dans la réalité profonde de notre terroir. Les Américains semblent avoir effectué le chemin inverse de l'Europe : leur complexe d'infériorité (pays récent, « nouveau riche », puéril, dont l'histoire et la culture sont en grande partie importées) a viré au complexe de supériorité (leçons de savoir-faire et d'efficacité, xénophobie culturelle, mépris commercial et écrasement publicitaire).

Quant à l'exception culturelle française, contrairement à ce que disait un pédégé viré depuis, elle n'est pas morte : elle consiste à faire des films exceptionnellement chiants, des livres exceptionnellement bâclés, et dans l'ensemble des œuvres d'art exceptionnellement pédantes et satisfaites. Il va de soi que j'inclus mon travail dans ce triste constat.

8 h 35

L'entrée du *Windows on the World* est beige. Tout est beige dans l'Amérique d'en haut. Les murs sont rassurants, la moquette épaisse, coquille d'œuf à motifs géométriques. On enfonce ses mocassins dans une laine profonde. Le sol est mou ; cela aurait dû nous mettre la puce à l'oreille.

— Keep quiet !

Mes garçons pètent le feu à huit heures et demie du matin. A partir de quel âge est-on fatigué quand on se réveille ? Je ne cesse de bâiller tandis qu'ils courent dans tous les sens, slaloment entre les tables, manquent de renverser une vieille dame aux cheveux violets.

— Stop it, guys !

J'ai beau faire les gros yeux, ils ne m'obéissent plus. Je n'ai aucune autorité sur mes deux fils ; même quand je me fâche, ils pensent que je déconne. Ils ont raison : je déconne. Je n'y crois pas vraiment. Je suis incapable de sévérité, comme tous les parents de ma génération. Nos enfants sont mal élevés parce qu'ils ne sont pas élevés du tout. Enfin, ils ne sont plus élevés par nous, mais par les chaînes de dessins animés.

32

Merci à Disney Channel, la nounou planétaire ! Nos enfants sont pourris gâtés, parce que nous le sommes aussi. Jerry et David me tapent sur le système, mais ils ont une grande différence avec leur mère : eux, je les aime encore. C'est la raison pour laquelle je leur fais sécher les cours pendant une semaine. Ils étaient tellement fous de joie de rater l'école ! Je me vautre dans l'inconfort de ma chaise couleur rouille et jette un œil circulaire sur la vue incroyable. « Unbelievable » disait le prospectus : pour une fois que la pub ne ment pas. Je suis aveuglé par l'Atlantique ensoleillé. Les gratte-ciel découpent le bleu clair comme dans un décor de carton-pâte. Aux Etats-Unis la vie ressemble à un film, puisque tous les films sont tournés sur place. Tous les Américains sont des acteurs et leurs maisons, leurs voitures, leurs désirs semblent faux. La vérité s'invente chaque matin en Amérique. Ce pays a décidé de ressembler à une fiction sur Celluloïd.

— Sir...

La serveuse n'est pas contente d'avoir à faire la police. Elle me ramène Jerry et David qui viennent de piquer un donut à un couple de traders pour jouer au Frisbee. Je devrais les gifler mais n'arrive pas à réprimer un sourire. Je me lève pour demander pardon aux propriétaires du beignet. Ce sont deux employés de Cantor Fitzgerald : une blonde sexy malgré son costard Ralph Lauren (il y a encore des nanas qui s'habillent comme ça ?) et un brun baraqué mais cool, en complet Kenneth Cole. Pas besoin d'être détective privé pour deviner qu'ils sont amants. Iriez-vous petit-déjeuner avec votre femme en haut du World Trade Center ? Non... Vous laissez bobonne à la maison, et vous invitez une collègue de bureau pour un huit à dix (la version yuppie du cinq à sept). Je tends l'oreille, j'aime écouter aux portes, surtout quand il n'y en a pas.

— J'suis bullish sur les technos, là... dit la blonde en Ralph Lauren.

— Merril a upgradé les bancaires pour des raisons spéculatives, dit le brun en Kenneth Cole.

— Quitte ta femme, dit la blonde en Ralph Lauren.

— Pour recommencer une histoire normale ? dit le brun en Kenneth Cole.

— Ce ne sera jamais normal entre nous, dit la blonde en Ralph Lauren.

— Je ne te demande pas de quitter ton mari, dit le brun en Kenneth Cole.

— Si tu me le demandais, je le ferais, dit la blonde en Ralph Lauren.

— Notre amour est beau parce qu'il est impossible, dit le brun en Kenneth Cole.

— J'en ai marre de te voir le matin ou l'après-midi, dit la blonde en Ralph Lauren.

— La nuit je suis pire, dit le brun en Kenneth Cole.

— Mike Wallace m'a invitée à partir en jet à L.A. ce week-end, dit la blonde en Ralph Lauren.

— Ah oui ? Et comment tu expliqueras ça à ton mari ? dit le brun en Kenneth Cole.

— It's none of your business, dit la blonde en Ralph Lauren.

— Si tu fais ça tu ne me verras plus jamais, dit le brun en Kenneth Cole.

— Tu es jaloux de Mike mais pas de mon mari ? dit la blonde en Ralph Lauren.

— Tu ne baises plus avec ton mari depuis deux ans, dit le brun en Kenneth Cole.

— Quitte ta femme, dit la blonde en Ralph Lauren.

— C'est vrai que t'es bullish sur les technos ? dit le brun en Kenneth Cole.

8 h 36

The Windows of the World est le titre d'une chanson de Burt Bacharach et Hal David, interprétée en 1967 par Dionne Warwick. Que disent les paroles ? Elles ont été écrites contre la guerre du Vietnam :

« The windows of the world are covered with rain,
Where is the sunshine we once knew ?
Ev'rybody knows when little children play
They need a sunny day to grow straight and tall.
Let the sun shine through.

The windows of the world are covered with rain,
When will those black skies turn to blue ?
Ev'rybody knows when boys grow into men
They start to wonder when their country will call.
Let the sun shine through. »

Ma traduction (très approximative) donne un poème nunuche et pacifiste à la Jacques Prévert :

« Les fenêtres du monde sont couvertes de pluie
Où est le soleil d'autrefois ?
Tout le monde sait que les enfants qui jouent
Ont besoin de soleil pour grandir
Laisse passer les rayons du soleil

Les fenêtres du monde sont couvertes de pluie
Quand donc ce ciel noir retrouvera le bleu ?
Tout le monde sait que les garçons qui deviennent des
            hommes
Se demandent quand leur pays va les appeler
Laisse passer les rayons du soleil. »

Je me demande si le patron du *Windows on the World* connaissait cette chanson.

8 h 37

Mes gosses s'ennuient et c'est ma faute : je les emmène dans des endroits de vieux. Ce sont pourtant eux qui ont insisté ! Je pensais que la vue les distrairait mais ils en ont vite fait le tour. Ils sont comme leur père : ils se lassent de tout trop vite. Génération du zapping frénétique et de la schizophrénie existentielle. Comment feront-ils quand ils découvriront qu'on ne peut pas tout avoir, ni tout être ? Je les plains, parce que personnellement, je ne me suis jamais remis d'une telle découverte.

Je me sens toujours bizarre quand je vois mes enfants. J'aimerais leur dire « je vous aime » mais il est trop tard. Quand ils avaient trois ans, je le leur répétais jusqu'à ce qu'ils s'endorment. Le matin, je les réveillais en leur chatouillant la plante des pieds. Ils avaient toujours les pieds froids qui dépassaient de la couette. Maintenant ils sont trop virils, je me ferais rembarrer. Et puis je ne m'occupe jamais d'eux, ne les vois pas assez souvent, ne fais plus partie de leurs habitudes. Au lieu de leur dire « je vous aime », voici ce qu'il faudrait leur dire :

— Il y a une chose pire que d'avoir un père absent : c'est d'avoir un père présent. Un jour, vous me remercierez de ne pas vous avoir étouffés. Vous comprendrez que je vous aidais à prendre votre envol, en vous dorlotant à distance.

Mais pour dire ça, cette fois, il est trop tôt. Ils le comprendront quand ils auront mon âge : quarante-trois ans. C'est bizarre, deux frères : à la fois inséparables et tout le temps en guerre. Ce matin, ne nous plaignons pas : ils ne se bagarrent pas trop. Les Rice Krispies les occupent un peu : Snap, Crackle, Pop. Nous parlons de nos vacances volées à la rentrée. David veut retourner aux Studios Universal. Il a frimé toute l'année avec son tee-shirt « I survived Jurassic Park ». Il ne voulait même plus le mettre au sale ! Quoi de plus snob qu'un enfant de sept ans ? Après, on se discipline, on frime moins. Tenez, Jerry, il a deux ans de plus et c'est déjà un homme, qui se contrôle, qui fait des compromis. Il crâne aussi avec son sweat Eminem, mais bon, il la ramène moins : c'est l'aîné. David est toujours malade, je déteste l'entendre tousser sans arrêt, ça m'agace, et je n'arrive pas à savoir si je suis agacé par le bruit de sa toux ou par une inquiétude venue de l'amour paternel. Au fond, ce qui m'énerve c'est de ne pas être sûr d'être bon, alors que je suis certain d'être égoïste.

Un homme d'affaires brésilien allume un cigare. Faut être dingue pour fumer à cette heure-là. Je fais un signe au maître d'hôtel qui se précipite sur lui car le *Windows* est non-fumeurs, comme tous les lieux publics de la ville. Le type fait mine de découvrir la loi, d'être scandalisé, et réclame la zone fumeurs. L'autre lui explique qu'il doit descendre dans la rue ! Au lieu d'écraser son cigare, le fumeur se lève et s'exécute, fonce vers l'ascenseur ; question d'honneur sans doute...

8 h 38

... Et voilà comment un cigare peut sauver une vie. On devrait inscrire une nouvelle mention sur les paquets de cigarettes : « Fumer vous fait sortir des immeubles avant qu'ils n'explosent. »

J'aimerais pouvoir changer quelque chose, crier à Carthew de foutre le camp de là, vite, putain, TIRE-TOI EMMÈNE LES DEUX MÔMES CASSEZ-VOUS EN COURANT, DIS-LE AUX AUTRES, VITE, GROUILLEZ-VOUS, BORDEL TOUT VA SAUTER ! GET THE FUCK OUT OF THIS FUCKING BUILDING !!

Impuissance, vanité du romancier. Livre inutile, comme tous les livres. L'écrivain est comme la cavalerie, qui arrive toujours trop tard. La tour Maine-Montparnasse est plus large du côté de la rue du Départ : si l'on voulait entrer dedans en avion, il faudrait viser cette façade-là. Je suis en train de tomber amoureux de cet immeuble que tout le monde déteste. Je l'adore autant la nuit que je

41

l'abhorre de jour. Le noir lui va bien au teint. Dans la lumière il est grisâtre, triste, mastoc ; il n'y a que la nuit pour le rendre brillant, électrique, avec ses loupiotes rouges sur les bords comme un phare dans Paris. La nuit, la tour me fait penser au monolithe de *2001, l'odyssée de l'espace* : ce rectangle noir et vertical censé symboliser l'éternité. Hier soir j'ai emmené ma fiancée dans la boîte de nuit qui se trouve au sous-sol de la tour. Dans le temps, la discothèque s'appelait *L'Enfer* mais ils viennent de la rebaptiser *Red Light*. On y fêtait les vingt-cinq ans du magazine *VSD* : foule disco, queue au vestiaire, sponsors et deejays, quelques people en VIP, rien de spécial. J'ai serré mon amour dans mes bras et nous nous sommes embrassés sous le Ground Zero français. Je l'aurais bien attrapée dans les toilettes mais elle a refusé :

— Désolée : ce soir, ma chatte fait le ramadan !

Je tiens à présenter par avance mes excuses aux autorités musulmanes pour la blague qui précède. Je sais très bien que le ramadan autorise à manger le soir. Soyez magnanimes. Pas besoin de fatwa : je suis déjà suffisamment connu. J'ai eu une année 2002 assez compliquée. Je me suis beaucoup amusé et pas mal ridiculisé. N'en rajoutons pas en 2003, si vous voulez bien. Il paraît que la tour Montparnasse ne risque aucune attaque de fanatiques islamistes puisqu'elle abrite les bureaux français de la chaîne Al-Jazeera. Je me concentre sur ce paratonnerre en trempant mon toast dans ma tasse de café.

La tour Montparnasse mesure 200 mètres de hauteur. Pour vous faire une idée de la taille du World Trade Center, eh bien vous empilez deux tours Montparnasse l'une sur l'autre et c'est toujours plus petit que le Centre du Commerce Mondial. Chaque matin, pour m'emmener au *Ciel de Paris* (56ᵉ étage), l'ascenseur met 35 secondes; j'ai chronométré. Dans la cabine, je sens mes pieds s'alourdir et mes oreilles se boucher. Ce genre d'ascenseur rapide procure les mêmes sensations qu'un avion dans un trou d'air – sans la ceinture de sécurité. Le *Ciel de Paris* est tout ce qui reste du *Windows on the World* : une idée. Ce concept saugrenu et prétentieux d'un restaurant au sommet d'une tour qui domine la ville. Le décor ici est tout noir, avec un plafond imitant un ciel étoilé. Il n'y a pas grand monde ce matin car le temps est maussade. Les gens annulent leurs réservations quand il n'y a pas de visibilité. Le *Ciel de Paris* est noyé dans la brume. On ne voit rien à travers les vitres qu'une fumée blanche. En collant mon nez contre la baie vitrée, je peux apercevoir les rues adjacentes. Quand j'étais petit, on me reprochait tout le temps d'avoir la tête dans les nuages; aujourd'hui, je continue. Les fauteuils Knoll datent probablement des années 70; ils reviendront bientôt à la mode. La moquette fauve et noir rappelle les films de Mocky. Il y a un permanent bruit de fond : la climatisation ronronne comme un réacteur nucléaire. J'approche mon visage des baies vitrées : une couche de buée masque la rue de Rennes. Je suis installé dans un box rembourré de cuir marron comme au *Drugstore Publicis* Saint-Germain (endroit tout aussi disparu que le *Windows on the World*), j'ai commandé un jus d'orange pressé et des « viennoiseries » (trois minipains au chocolat rabougris) et la serveuse porte un uniforme orange (lui aussi reviendra bientôt à la mode). Elle m'apporte des croissants enroulés dans une serviette beige. Peut-être simplement que les terroristes d'Al-Qaïda en avaient marre du beige, des uniformes orange et du sourire commercial des serveuses.

Je me sens très mal, tout seul dans le *Ciel de Paris* à 8 h 38, loin des automobilistes qui klaxonnent devant les cinémas de Montparnasse, au-dessus des employés de la BNP, 200 mètres plus atmosphérique que le commun des mortels. Ma vie est un désastre mais personne ne le voit car je suis très poli : je souris tout le temps. Je souris parce que je pense que si l'on cache sa souffrance elle disparaît. Et dans un sens, c'est vrai : elle est invisible donc elle n'existe pas, puisque nous vivons dans le monde du visible, du vérifiable, du matériel. Ma douleur n'est pas matérielle; elle est occultée. Je suis un négationniste de moi-même.

8 h 39

En finissant mon cappuccino, je regarde les autres clients qui ne me regardent pas. Beaucoup de rouquins sportifs. Il y a une table de Japonais qui se prennent en photo. Il y a le couple d'agents de change adultérins. Il y a des touristes américains comme moi, rednecks enrichis et fiers de l'être, ou WASP à bretelles, ou yuppies aux dents blanches. Garçons aux chemises rayées. Femmes ultrabrushées, avec de belles mains aux longs ongles manucurés. La plupart ressemblent à Britney Spears dans vingt ans. Il y a des Arabes, des Anglais, des Pakistanais, des Brésiliens, des Italiens, des Vietnamiens, des Mexicains, tous gros. Le grand point commun entre les clients du *Windows on the World*, c'est leur ventre. Je me demande si je n'aurais pas mieux fait d'emmener les mômes à la Rainbow Room, au 65e étage du NBC Building. Le *Salon de l'Arc-en-Ciel* : vingt-quatre baies vitrées au cœur de la ville. Les concepteurs du Rockefeller Center voulaient baptiser l'endroit la Stratosphère. Mais mes gamins n'auraient pas su apprécier les miroirs années 30, les reflets de Manhattan, la légende des orchestres de jazz, le parfum des Années folles. Tout ce que veulent Jerry et David, c'est avaler des sausages et des muffins dans le restau le plus haut de New York. Heureusement pour mon portefeuille que la boutique Toys"Я"Us située dans le lobby était fermée, sinon ils l'auraient dévalisée. Mes enfants sont des dictateurs et je leur obéis au doigt et à l'œil. En avalant mon breakfast, je regarde vers le bas ; de cette hauteur on ne distingue plus les êtres humains. Dans Lower Manhattan, les seules choses mobiles sont les voitures qui entrent et sortent de l'île par le Brooklyn Bridge, les hélicoptères à touristes qui survolent l'East River et les barges qui se croisent sous les ponts suspendus. J'ai recopié dans un guide touristique une citation de Kafka : « Le pont de Brooklyn pendait comme une petite chose grêle au-dessus de la Rivière de l'Est et frémissait quand on fermait les yeux. Il semblait complètement vide, l'eau inanimée s'allongeait au-dessous de lui pareille à un ruban lisse. » Etonnant comme il décrit bien ce qu'il n'a jamais vu. Moi, je vois l'immeuble de la Chase Manhattan Bank, à gauche le Manhattan Bridge, à droite le South Street Seaport au bout de Fulton Street, mais je ne saurais pas les décrire. Et je m'aperçois que j'aime mon pays de fous, cette époque pourrie et mes enfants pénibles. Une bouffée de tendresse m'envahit – sans doute une remontée de vodka d'hier soir. Candace m'a emmené au bar *Pravda* et nous avons un peu forcé sur la

46

vodka-cerise. Candace a fait des photos pour le catalogue de Victoria's Secret, je dis ça juste pour vous donner une idée d'à quel point she's hot. Mais ça ne va pas bien entre elle et moi : elle voudrait que je me remarie avec elle, que je lui fasse un enfant, que nous vivions ensemble, et ce sont précisément les trois erreurs que je veux éviter de reproduire. Pour me punir de vouloir rester célibataire, elle ne jouit plus quand nous baisons. On dit que certaines femmes disent non quand elles pensent oui, Candace c'est le contraire : quand elle dit oui, elle pense non.

— Pourquoi t'es bullish sur les technos ? demande le brun en Kenneth Cole.

— Maintenant que la bulle a explosé c'est le moment, répond la blonde en Ralph Lauren. Il est temps de revenir, les valos sont à la casse.

— Regarde le niveau des cash-flows, il est complètement aberrant, dit le brun en Kenneth Cole. J'ai peur de me faire squeezer.

— J'ai acheté des calls sur Enron, cette boîte est fabuleuse, dit la blonde en Ralph Lauren. T'as vu un peu leurs earnings ?

— T'as pas tort, faut foncer là-dessus. Et prendre du WorldCom. Leur EBITDA est beau comme un million de dollars, dit le brun en Kenneth Cole. Pour le reste, je me suis mis off sur le market.

— De toute façon, 2001 est une année de merde et on va avoir un putain de cut sur les bonus, dit la blonde en Ralph Lauren. Tu peux dire adieu à ta villa à Hawaï.

47

— Moi c'est bien simple : tant pis pour la Porsche, je me suis mis cash, dit le brun en Kenneth Cole. Mais je suis sûr que 2002 ira mieux, suffit d'attendre ce que Greenspan va faire sur les taux.

— Je t'aime, dit la blonde en Ralph Lauren.

— Je veux lancer une OPA hostile sur toi, dit le brun en Kenneth Cole.

— Quitte ta putain de femme, dit la blonde en Ralph Lauren.

— OK, je te jure de tout lui balancer ce soir après mon spa, dit le brun en Kenneth Cole.

Et ils se roulent une grosse pelle assez sexe, en tirant la langue comme dans un bon porno californien ou une pub pour un parfum.

8 h 40

Tous les guides touristiques faisaient l'éloge du *Windows on the World*. Je les parcours en haut de la tour Montparnasse, en ce matin de septembre 2002. Un an après la tragédie, ils prennent une étrange résonance. Le *Guide Vert Michelin 2000*, par exemple, écrit :

« *Windows on the World*, One World Trade Center (107e niveau). Cet élégant bar-restaurant jouit d'une des plus belles vues panoramiques sur New York. Après le fameux attentat à la bombe de 1993, d'importants travaux de rénovation lui ont permis de faire peau neuve, et de se doter d'un somptueux intérieur. »

Le World Trade Center était une cible, même les guides le savaient. Ce n'était pas un secret. Le 26 février 1993, à 12 h 18, une bombe avait explosé dans une camionnette garée dans le parking. Le sous-sol du World Trade Center s'était effondré. Un profond cratère, six morts et un millier de blessés. Les tours avaient été restaurées et rouvertes en moins d'un mois.

Le guide de voyage *Frommer's 2000* est plus bavard :

« *Windows on the World* (entrée West Street, entre Liberty et Vesey). Plats 25 $-35 $; menu sunset (coucher du soleil, avant 18 h) 35 $; brunch 32,50 $. CB. Métro : C, E station World Trade Center. Parking avec voiturier à West Street 18 $. L'intérieur est assez sobre mais agréable. D'ailleurs cela n'a aucune importance puisque tout New York est à l'extérieur, de l'autre côté des " Fenêtres " ! Ce restaurant offre une vue imprenable sur la ville. Et depuis que Michael Lomonaco, ancien chef du *Club 21*, est aux fourneaux, la nouvelle cuisine américaine est sans pareille. La cave est également bien fournie. Le sommelier sera heureux d'aiguiller votre choix, que vous soyez un connaisseur ou un simple amateur de vin souhaitant marier au mieux ses côtelettes braisées ou sa tourte de homard du Maine, deux spécialités de Lomonaco. »

J'ai lu dans un article qu'en cuisine, il y avait deux frères inséparables qui habitaient ensemble et nettoyaient les crustacés, côte à côte. Deux musulmans.

Ce que nous savons aujourd'hui conduit à chercher des prémonitions partout; exercice stupide qui confère à n'importe quelle critique gastronomique de l'an 2000 un caractère prophétique. Si nous décortiquons cette dernière chronique mot à mot, le texte devient du Nostradamus. « De l'autre côté des Fenêtres » ? Un avion va arriver. « Vue imprenable » ? Au contraire, très prenable. « La cave est également bien fournie » ? Bien sûr, 600 000 tonnes de gravats y seront bientôt disponibles. « Le sommelier va aiguiller votre choix » ? Tel un aiguilleur du ciel. « Côtelettes braisées » ? Bientôt à 1 500 degrés. « Homard du Maine » ? Vous voulez dire Omar le mollah ? Ce n'est pas drôle, je sais, on ne badine pas avec la mort. Pardonnez-moi ce réflexe d'autodéfense : je rédige ces blagues en haut d'une tour parisienne, en feuilletant des pages et des pages de visites guidées d'un endroit jumeau qui n'existe plus. Il est impossible de ne pas voir des avertissements partout, des messages codés revenus du passé. Le passé est désormais le seul endroit où se trouve le *Windows on the World*. Ce restaurant unique sur terre, où l'on dînait délicieusement en haut du monde, où il fallait téléphoner pour réserver une table afin d'emmener sa maîtresse regarder la vue et de pouvoir loucher dans son décolleté quand elle se pencherait pour vérifier si elle avait des préservatifs dans son sac à main, cet endroit merveilleux et unique et intact, cet endroit se nomme le passé.

Quant au guide de voyage Hachette 2000, il disait, sans se douter de l'ironie cruelle que prendrait un jour cette phrase :

« Le restaurant fonctionne comme un club à l'heure du déjeuner, mais, moyennant supplément, il vous accueillera même si vous n'êtes pas membre. »

Sic.

Le paradoxe des Twin Towers, c'est qu'il s'agissait d'un immeuble ultramoderne bâti dans le plus vieux quartier de New York, à la pointe sud de l'île de Manhattan : la Nouvelle-Amsterdam. A présent, le paysage de New York est redevenu le même qu'à l'époque où Holden Caulfield fuguait. La destruction des Twin Towers ramène cette ville en 1965, date de ma naissance. Curieuse impression de savoir que j'ai exactement le même âge que le World Trade Center. C'est le Manhattan dans lequel Salinger a écrit *l'Attrape-Cœur* (1951), le *Grand Meaulnes* américain, dont l'action se déroule en 1949. Savez-vous d'où vient le titre original du roman : *The Catcher in the Rye* ? Il vient d'un vers de Robert Burns : « Si un corps rencontre un corps qui vient à travers les seigles. » Holden Caulfield (le narrateur) a mal entendu le poème : il croit qu'il dit « si un cœur rencontre un cœur ». Il se définit comme « l'attrapeur dans le seigle ». C'est le métier qu'il aimerait faire dans la vie. Page 208, il explique sa vocation à sa petite sœur, Phoebe. Il s'imagine en train de courir dans un champ de seigle pour essayer de sauver des milliers de petits mômes. Ce serait, pour lui, la profession idéale sur terre. Gambader dans un champ de seigle pour attraper des hordes d'enfants qui courent au bord d'une falaise, des grappes de cœurs innocents qui se précipitent dans le vide. Dans le vent s'envoleraient leurs rires inconscients. Courir dans le seigle avec le soleil.

« *Tout le monde sait que les enfants qui jouent / Ont besoin de soleil pour grandir* » (*The Windows of the World*). Le plus beau destin possible : les attraper avant qu'ils ne tombent. Moi aussi je voudrais être l'attrapeur à travers les fenêtres.

The Catcher in the Windows.

8 h 41

Je joue à mépriser mes voisins de table, c'est un de mes sports favoris quand je m'emmerde avec mes gosses. Regarde-moi ces parvenus ; ils oublient qu'ils descendent de colons hollandais, irlandais, allemands, italiens, français, anglais et espagnols venus s'installer outre-Atlantique il y a trois ou quatre siècles. Yeeehaa, j'ai réussi, j'ai une maison à Long Island ! Des enfants aux joues roses qui disent « shoot » au lieu de « shit » ! Je ne suis plus un plouc d'exilé. Des draps doux et chers, du PQ doux et cher, des rideaux à fleurs doux et chers, et des appareils électroménagers qui font baver ma femme aux cheveux laqués ! Le bonheur américain : American Beauty. Par moments, j'ai l'impression d'être Lester Burnham, le héros de ce film. Le gars blasé et cynique qui se rend compte qu'il se fait chier dans sa famille parfaite, c'est « so me » il y a deux ans. Carthew Yorston a tout envoyé promener du jour au lendemain. Well, j'ai fait en sorte de me faire virer de chez moi : j'ignore si c'est par lâcheté ou par respect pour Mary. Dans le film, sa femme veut le tuer mais à la fin il est assassiné par son voisin militaire et homophobe. Disons que pour l'instant je m'en sors mieux que ce pauvre Lester. Mais qu'est-ce que je me suis masturbé sous la douche ! Et puis il y a cette phrase que j'adore dans la voix off : « Dans un an je serai mort, mais peut-être suis-je déjà mort. » On a plein de choses en commun, Lester Burnham et moi.

J'espère que mes fils me présenteront bientôt des copines à eux. Hum hum, je ne suis pas sûr que je résisterai à la tentation de les draguer comme un vieux dégueulasse. Je me demande ce qu'ils feront plus tard, Jerry et David Yorston. Deviendront-ils des artistes, des rockstars, des acteurs de cinéma, des présentateurs télé ? Ou bien des industriels, des banquiers, des hommes d'affaires aux dents longues ? En tant que père, je leur souhaite la deuxième option, mais en tant qu'Américain, je fantasme sur la première. Et la vérité, c'est qu'ils ont le maximum de chances de finir agents immobiliers, comme leur père. Ils changeront mes couches quand je serai grabataire et incontinent, à Fort Lauderdale dans quarante ans. Je mangerai des biscottes en dépensant leur héritage dans un goulag floridien ! J'aurai réussi : mon shopping sera livré à domicile, je commanderai toute la bouffe sur Internet et une salope clonée sur Farrah Fawcett dans *Charlie's Angels* me mâchouillera la bite en souriant. I love my country. Ah, oui, j'oubliais : si je peux encore marcher, je jouerai au golf. Jerry et David seront mes caddies !

En regardant vers le bas avec la longue-vue, je peux voir un carré blanc : l'esplanade où les employés microscopiques des restaurants installent des chaises en terrasse pour le déjeuner au soleil de midi. Je suppose que les marchands d'ice-creams posent leurs pancartes, que les vendeurs ambulants de hot dogs et de bretzels installent leurs carrioles autour de WTC Plaza. Ce petit cube ? Une estrade montée pour un concert de rock en plein air. Cette bille de métal ? Le globe de bronze sculpté par Fritz Koenig. Il y a des sculptures contemporaines horribles : poutrelles métalliques enchevêtrées, empilées, tordues. Je ne comprends pas ce qu'ont voulu dire les artistes.

C'est l'été indien ; je fredonne *Autumn in New York*.
« Autumn in Neew Y000rk
Whyyyy doest it seem so invitiiiing ?
Glittering crowwwwds and chimering clou-uuuds
In canyons of steeeeeel
Autuuumn in Neeeew Yorrk
Is often mingled wiiith pain
Dreaaamers with empty haaands
May sigh for ex000tic lands... »
Oscar Peterson, piano, Louis Armstrong, trompette, Ella Fitzgerald, chant.

Il faut absolument que je prenne un rendez-vous pour une vasectomie. Au début avec Candace tout était parfait. Je l'ai draguée sur Internet (sur www.match.com). Aujourd'hui ce genre de « dates » est monnaie courante. Il y a huit millions de membres de match.com dans le monde ! Quand tu visites une autre ville, tu organises quelques rendez-vous avant d'arriver, c'est aussi simple que de réserver une chambre d'hôtel. Après le premier dîner, je lui ai proposé de monter prendre un verre dans ma chambre pour continuer la conversation, et normalement, c'est à ce moment-là qu'elle devait refuser car tel est le principe de la « date » : on ne baise jamais le premier soir. Savez-vous ce qu'elle me fait ? Elle me regarde droit dans les yeux et me déclare : « Si je monte, ce ne sera pas pour parler. » Waow. On a brûlé toutes les étapes ensemble : films X sur la pay-per-view de l'hôtel, masturbation et sodo à deux avec godes et vibros, on est même allés ensemble dans un swingers club mais elle m'a foutu en rogne, elle a pris son pied comme jamais avec un grand dadais à boucles d'oreilles et boule rasée ! A quoi reconnaît-on un Texan dans un club échangiste ? C'est le seul qui fait une scène de jalousie. Désormais le sexe est toujours excellent avec elle mais plus hygiénique. Comme l'addition de deux solitudes égomaniaques. On se sert du corps de l'autre pour jouir et parfois j'ai l'impression qu'on se force tous les deux. Hum. Je dois être cocu ; maintenant dans les couples, on est cocu de plus en plus tôt.

8 h 42

J'ai un problème : je ne me souviens pas de mon enfance.

Tout ce que j'en ai retenu, c'est que la bourgeoisie ne fait pas le bonheur.

Il fait nuit ; tout est noir. Mon réveil sonne, il est huit heures du matin, je suis en retard, j'ai treize ans, j'enfile mes Kickers marron, je traîne un gros sac US rempli de Stypen, d'effaceurs d'encre, de manuels aussi lourds qu'emmerdants, maman s'est levée pour faire bouillir le lait que nous aspirons bruyamment, mon frère et moi, en râlant car il y a de la peau, avant de descendre en ascenseur vers ce matin noir de l'hiver 1978. Le lycée Louis-le-Grand est loin. Cela se passe rue Coëtlogon, à Paris, dans le VIe arrondissement. Je crève de froid et d'ennui. Je rentre les mains dans mon loden laid. Je me blottis dans mon écharpe jaune qui gratte. Je sens qu'il va se mettre à pleuvoir, et j'ai raté le 84. J'ignore que tout ceci est absurde et ne me servira jamais à rien. J'ignore aussi que cette aube sombre est la seule matinée de mon enfance dont je me souviendrai plus tard. Je ne sais même pas pourquoi je suis si triste – peut-être parce que je n'ai pas le cran de sécher les cours de mathématiques. Charles veut attendre le bus et moi je décide d'aller au lycée à pied, en longeant le Luxembourg par la rue de Vaugi-rard où vivaient Scott et Zelda Fitzgerald d'avril à août 1928 (au coin de la rue Bona-parte), mais à l'époque je ne le sais pas. Aujourd'hui, j'habite toujours à côté, rue Guy-nemer, de mon balcon j'ai vue sur les enfants à cartables qui pressent vers leur lycée en cra-chant de la fumée froide : petits dragons cour-bés qui s'accélèrent sur le trottoir en évitant les traits. Ils surveillent leurs pieds pour ne pas les poser sur les limites entre les dalles, comme s'ils traversaient un champ de mines. Morne est l'adjectif qui résume le mieux ma vie à cette époque. MORNE comme ce matin glacé. A cet instant, j'ai la certitude que rien d'intéressant ne m'arrivera jamais. Je suis moche, maigri-chon, je me sens seul et le ciel se vide sur moi. Je suis humide devant le Sénat gris comme mon lycée de merde ; tout me fait chier dans cet endroit : les murs, les profs, les élèves. Je retiens ma respiration ; ça ne va pas, ça ne va pas du tout, pourquoi ça ne va pas du tout ? Parce que je suis banal, parce que j'ai treize ans, parce que j'ai un menton en galoche, parce que je suis rachitique. Quitte à être squelettique, autant être mort ! Un bus arrive et j'hésite, vraiment, j'hésite, j'ai failli me jeter dessous ce jour-là. C'est le 84 qui me double avec Charles à l'intérieur. Ses grosses roues éclaboussent le bas de mon pantalon à pinces ridicule (beige en velours côtelé avec des revers trop grands). Je marche vers la normalité. J'étouffe sur le verglas. Aucune fille ne m'aimera jamais et je les comprends, vraiment, je ne vous en veux pas Mesdemoiselles, je me mets à votre place, moi non plus je ne m'aimais pas. Je suis en retard : madame Minois, la prof de maths, va encore lever les yeux au ciel et postillonner. Les crétins de ma classe soupireront pour se faire bien voir. La pluie ruissellera sur les vitres de cette salle qui pue le désespoir (à présent, je le sais, le désespoir a une odeur de craie). Pourquoi je me plains alors qu'il ne m'arrive rien ? Ni violé, ni battu, ni abandonné, ni drogué. Juste des parents divorcés et excessivement gentils avec moi, comme ceux de tous les élèves de ma classe. Je suis traumatisé par mon absence de traumatisme. Ce matin j'ai choisi de vivre. J'entre dans le lycée comme on se jette dans la gueule du loup. L'immeuble a une bouche noire et ses fenêtres sont des yeux jaunes. Il m'avale pour me digérer. Je suis complètement résigné. J'accepte de devenir ce qu'ils veulent faire de moi. J'affronte la lâcheté de mon adolescence.

Du haut de la tour Montparnasse je peux, en cherchant bien, apercevoir le Lycée de ma Jeunesse Gâchée. Je vis toujours à l'endroit où j'ai tant souffert. Je ne m'éloigne pas de ce qui me fonde. Je ne me suis jamais révolté. Je n'ai même pas déménagé. De chez moi, pour me rendre à mon boulot chez Flammarion, je parcours exactement la même rue de Vaugirard que le petit garçon qui avait froid aux oreilles et aux mains. Je crache toujours la même fumée en hiver. Je continue de ne pas marcher sur les traits. Je ne suis jamais sorti de ce matin-là.

8 h 43

La mienne d'enfance se déroule dans un paradis verdoyant de la banlieue chic d'Austin, Texas. Une maison qui ressemble à celle des voisins, un jardin où l'on s'arrose avec le jet d'eau, une Chevrolet sans toit qui roule vers le désert. Un sofa, et par la fenêtre on voit la télé se refléter sur les visages de deux enfants, et à cette heure-là c'est pareil dans toute la ville, comme dans tout le pays. Mes parents font de gros efforts pour ressembler à un film en Technicolor : ils organisent des cocktails où les mamans comparent la décoration de leurs maisons. Chaque année, nous consommons en moyenne quatre tonnes de pétrole. Le college ? Rien que des Blancs boutonneux à casquette de base-ball qui écoutent le Grateful Dead pour aplatir des canettes de bière contre leur front. Rien de bien méchant. Le soleil, les coffee shops, l'équipe de foot, les cheerleaders aux gros seins qui disent « I mean » et « like » dans chaque phrase, pas de nègres sauf le dimanche, à l'église. Oops, pardon, c'est vrai, faut dire « Afro-Américains ». Tout est clean dans mon adolescence : les bars de « lapdancing » n'exis-

62

tent pas encore et les motels sont interdits aux mineurs. Je déjeune sur l'herbe, joue au tennis, lits des comic books dans mon hamac. Les glaçons font « gling gling » dans les verres de scotch de mon père. Chaque semaine, il y a une ou deux exécutions capitales dans mon Etat. Ma jeunesse a lieu sur une pelouse. Attention : c'est pas la Petite Maison dans la Prairie, plutôt le Petit Pavillon dans les Suburbs. J'ai des bagues sur les dents et je joue de la guitare sur ma raquette de tennis Dunlop en bois, devant ma glace, la radio à fond. Les vacances, je les passe dans des « summer camps » : je descends des rivières en dinghy, perfectionne mon service, gagne des parties de water-polo, découvre la masturbation grâce à *Hustler Magazine*. Les lolitas sont amoureuses de Cat Stevens mais comme il n'est pas là, elles se font dépuceler par le prof de tennis. Mon plus grand traumatisme, c'est le film *King Kong* (la version de 1933) : mes parents étaient sortis, et nous l'avons vu en douce dans leur chambre à coucher, avec ma sœur, bravant l'interdiction de notre nanny. L'image en noir et blanc de ce singe géant qui escalade l'Empire State Building et attrape les avions de l'armée : tel est mon pire souvenir d'enfance. Dans les années 70, ils ont tourné un remake en couleurs qui se passait sur le World Trade Center. Je m'attends d'un moment à l'autre à voir un gorille géant escalader les tours ; j'en ai la chair de poule, croyez-le ou pas, je n'arrête pas d'y penser.

63

Ma jeunesse, vous pouvez la feuilleter dans les yearbooks de lycée. Je l'ai crue heureuse sur le moment, et pourtant quand j'y repense elle me fout le blues. Peut-être parce que ça m'effraie d'en être sorti, et d'avoir quitté ma vieille famille pour faire fortune dans l'immobilier. J'ai réussi dans ce métier le jour où j'ai pigé un truc tout simple : on ne gagne pas de ronds sur les grands appartements mais sur les petits (parce qu'on en vend plus souvent). Or les ménages de la middle-class lisent les mêmes journaux que les riches : ils veulent tous la baraque de *Wallpaper* ou le même loft que Lenny Kravitz ! J'ai donc passé un accord avec un organisme de crédit, qui acceptait de leur prêter un ou deux millions de dollars remboursables sur trente ans. Ensuite j'ai déniché d'anciens hangars à bestiaux dans les vieux quartiers de cow-boys d'Austin, et les ai transformés en ateliers d'artistes pour bobos. Tout mon talent fut de faire croire à mes petits couples que leur loft était unique alors que j'en fourguais une trentaine par an. Et c'est ainsi que j'ai gravi les échelons de l'agence, puis piqué la place du mec qui m'avait engagé, avant de créer ma propre boîte : « Austin Maxi Real Estate ». Trois millions et demi de dollars, bientôt quatre. C'est pas Donald Trump, mais ça permet de voir venir. Comme disait mon père : « Le plus dur c'est de gagner le premier million, après le reste suit ! » Jerry et David sont à l'aise financièrement mais ne le savent pas encore car je joue toujours les aristocrates sans le sou devant Mary pour éviter qu'elle ne me demande de quadrupler sa pension. Et ma fortune est pourtant la raison pour laquelle je l'ai quittée : je ne pouvais plus rentrer chez nous alors que j'avais tout ce fric à dépenser. A quoi servait-il de gagner tout cet argent si tous les soirs je devais me farcir la même femme ? Je voulais être l'anti-George Babbitt *, ce pauvre crétin incapable d'échapper à sa famille et sa ville...

— File-moi l'appareil, dit David.
— Non, c'est le mien, dit Jerry.
— Tu sais pas prendre des photos, dit David.
— Toi non plus, dit Jerry.
— T'as même pas mis le flash, dit David.
— Ça sert à rien en plein jour, dit Jerry.
— T'as pas réglé les distances, dit David.
— On s'en fout, c'est un jetable, dit Jerry.
— Prends la statue de la Liberté, dit David.
— Déjà fait, dit Jerry.
— La dernière fois elles étaient toutes floues, dit David.
— Ta gueule, dit Jerry.
— Pauvre tache, dit David.
— Tache toi-même, dit Jerry.
— Vexé vexé vexé vexé, dit David.
— Toi-même toi-même toi-même toi-même, dit Jerry.
— Allez, passe l'appareil, dit David.

---

* Personnage d'agent immobilier de l'Ohio créé par Sinclair Lewis en 1922. (Note de l'auteur.)

8 h 44

S'ils observaient attentivement les photos qu'ils prennent (et qui ne seront jamais développées), Jerry et David distingueraient un point blanc en mouvement, à l'horizon, derrière l'Empire State Building. Une sorte de grosse mouette éclatante dans le skyline bleu. Pourtant les oiseaux ne volent pas aussi haut, ni aussi vite. Les rayons du soleil ricochent sur cette forme argentée comme dans *Mission impossible*, quand un agent secret utilise un petit miroir pour avertir son collègue sans faire de bruit, en lui envoyant un rayon de lumière dans les yeux.

Au *Ciel de Paris*, tout est conçu pour vous rappeler sans cesse que vous êtes plus haut que la normalité. Même aux toilettes, les murs des urinoirs reproduisent les toits de la Ville Lumière, afin que la clientèle masculine puisse lui pisser dessus.

Il faudra que je revienne dîner : le menu est assez alléchant. « L'automne au *Ciel de Paris* vu par Jean-François Oyon et son équipe » : en entrée nous est notamment proposée l'escalope

66

de foie gras poêlée au pain d'épices à la crème de cèpes (24 euros 50) ; comme poisson nous avons les filets de rouget à la plancha, bouillon de bouillabaisse et pulpe d'aubergine (26 euros) ; en viande, Jean-François Oyon suggère le pigeon aux épices rôti au miel, choux cristallisé (33 euros). Au dessert je m'orienterais plutôt vers le moelleux tiède au chocolat « Guanaja », crème glacée aux noisettes. Je sais que ce n'est pas très régime – Karl Lagerfeld désapprouverait ce choix – mais je préfère tout de même le moelleux plutôt que la fève de tonka et griottes ou même les figues rôties au beurre de vanille bourbon.

Derrière moi se noue un drame affreux : un couple d'Américains réclame des œufs au jambon et champignons pour le petit déjeuner mais la serveuse au sourire orange dit « I'm sorry, nous ne servons que du continental breakfast ». Composé de toasts, viennoiseries, jus de fruits et boisson chaude, le petit déjeuner continental est moins costaud que ce que les Américains sont habitués à absorber le matin, alors les voici qui se lèvent en pestant à voix haute et quittent le restaurant. Ils ne comprennent pas comment un endroit aussi touristique est infoutu de servir un bon breakfast copieux. D'un strict point de vue commercial, ils n'ont pas tort. Mais pourquoi voyager si c'est pour manger la même chose que chez soi ? En fait, dans ce malentendu terrible, tout le monde a raison. Le *Ciel de Paris* devrait laisser les gens libres de choisir ce qu'ils veulent et offrir autant de choix au petit déjeuner qu'au dîner. Et les Américains devraient cesser de vouloir à tout prix exporter leur mode de vie sur toute la planète. Cela dit, en voilà deux qui survivront si jamais un avion rentrait dans la tour Montparnasse aujourd'hui à 8 h 46, comme dans la tour Nord du World Trade Center, le 11 septembre 2001.

Le plus hallucinant, c'est qu'un avion était déjà entré dans une tour à New York, en 1945, par une nuit de brouillard. Un bombardier B-25 de l'armée américaine s'était écrasé contre l'Empire State Building à la hauteur des 78e et 79e étages. 14 morts, un incendie gigantesque, des flammes de plusieurs centaines de mètres. Mais l'Empire State ne s'était pas écroulé, parce que la structure en acier de l'immeuble n'avait pas fondu, contrairement à celle du World Trade Center (l'acier perd sa capacité de résistance à 450° et fond à 1 400°, or la chaleur dégagée par l'incendie des Boeing est estimée à 2 000°). En 2001, les 40 000 litres de kérosène enflammé ont détruit l'infrastructure métallique des tours, et les étages du haut se sont effondrés sur ceux du bas. Pour édifier les tours jumelles, Yamasaki avait fait appel à une nouvelle technique : au lieu d'utiliser un labyrinthe de colonnes intérieures, il a choisi de faire supporter la majeure partie du poids par les murs extérieurs, composés de piliers verticaux en acier très rapprochés les uns des autres et reliés par des poutrelles horizontales qui ceinturaient les tours étage par étage. Cette architecture permettait de dégager un maximum d'espace intérieur (donc rapportait plus d'argent aux promoteurs immobiliers). Ce sont ces piliers recouverts d'une mince couche d'aluminium qui donnaient aux deux tours cet aspect rayé comme deux enceintes de hi-fi stéréophoniques.

Conclusion : les Twin Towers étaient bâties pour résister au choc d'un avion *sans carburant*.

Bienvenue dans la minute d'avant. Celle où tout est encore possible. Ils pourraient décider de partir, sur un coup de tête. Mais Carthew se dit qu'ils ont le temps, qu'ils profitent de leur escapade new-yorkaise, et les enfants ont l'air contents. Il y a des clients qui s'en vont : à tout moment, on entre et on sort de ce restaurant. Tenez, la vieille dame que Jerry et David ont dérangée tout à l'heure, celle aux cheveux violets, la voici qui se lève, elle a déjà réglé son addition (sans oublier de laisser cinq dollars de tip), lentement elle progresse vers l'ascenseur, les deux garnements chahuteurs lui ont remémoré qu'elle doit acheter un cadeau à son petit-fils pour son anniversaire, elle dit « have a nice day » à l'hôtesse d'accueil et appuie sur la touche « Mezzanine », la touche digitale s'allume, une sonnette fait « ding », elle vient d'avoir l'idée de flâner un peu dans le centre commercial, elle croit se souvenir d'une boutique Toys"Я"Us mais elle ne sait plus très bien si elle est au sous-sol ou à la Mezzanine, voilà à quoi elle pense tandis que les portes de la cabine se referment doucement. Pendant tout le reste de sa vie, elle se dira que c'est le Seigneur notre Dieu qui lui a dit d'effectuer ce geste-là à ce moment précis, pendant tout le reste de sa vie elle va se demander pourquoi Il a agi de la sorte, pourquoi Il lui a laissé la vie sauve, pourquoi Il lui a fait penser aux jouets, pourquoi Il l'a choisie elle et pas les deux petits garçons.

8 h 45

La minute d'avant, l'état des choses était rattrapable. Et puis soudain j'ai chopé la Tremblote.

— Tu connais la différence entre David Lynch et Merrill Lynch ? demande le brun en Kenneth Cole.

— Euh, non... je la connais pas celle-là, dit la blonde en Ralph Lauren.

— Y'en a pas : on comprend rien de ce qu'ils font et ils perdent tous les deux de l'argent, dit le brun en Kenneth Cole.

Ils s'esclaffent ensemble, puis se ravisent, et retrouvent leur professionnalisme.

— La volatilité a augmenté mais les volumes ont baissé, dit la blonde en Ralph Lauren.

— Les futures Standard's & Poors sont alarmants, dit le brun en Kenneth Cole.

— Les edges nous pourrissent la vie, dit la blonde en Ralph Lauren.

— Je suis long de call Nasdaq, dit le brun en Kenneth Cole.

— Les charts sont défavorables, dit la blonde en Ralph Lauren.

— Coupe-toi un bras, c'est trop pourri, dit le brun en Kenneth Cole.

— On s'est pris le yen dans les dents, dit la blonde en Ralph Lauren.

— Moi j'ai couvert mes positions Nikkei, dit le brun en Kenneth Cole.

— Oh my God, dit la blonde en Ralph Lauren. OH MY GOD.

Ses yeux se sont agrandis, sa lèvre inférieure s'est éloignée le plus possible de sa lèvre supérieure et elle a porté sa main tremblante à sa bouche figée.

— Quoi ? Qu'est-ce qu'il y a ? WHAT'S THE PROBLEM ? demande le brun en Kenneth Cole, avant de se retourner.

Il faisait si beau : avec la longue-vue, Jerry pouvait compter les rivets du fuselage. Il s'est tourné vers moi, tout excité :

— Look Dad ! You see the plane ?

mais j'avais déjà les mains qui me désobéissaient. J'avais attrapé Parkinson en une seconde. D'autres clients ont compris ce qui se passait : un putain de Boeing d'American Airlines fonçait dans New York à basse altitude, et se dirigeait droit vers nous.

— Bon sang, mais qu'est-ce qu'il fout ? Il vole beaucoup trop bas, ce con !

Moi qui déteste les films-catastrophe, avec le gentil blond au menton carré, la femme enceinte qui perd les eaux, le paranoïaque qui devient fou, le lâche qui devient courageux, le

72

prêtre qui administre l'extrême-onction. Il y a toujours un idiot qui tombe malade, et l'hôtesse qui réclame un médecin :

— Y a-t-il un docteur parmi vous ?

Et puis un étudiant en médecine lève la main, se sentant vachement utile, ne vous en faites pas, tout va bien se passer.

Voilà à quoi l'on pense quand un Boeing vous fonce dessus. Que ça fait chier d'être dans un navet pareil. On ne pense à rien : on se cramponne aux accoudoirs. On n'en croit pas ses yeux. On espère que ce qui est en train d'arriver n'est pas en train d'arriver. Notre corps voudrait se tromper. Pour une fois, on voudrait que nos sens aient tort, que nos yeux nous mentent. J'aimerais vous dire que mon premier réflexe a été pour Jerry et David, mais ce n'est pas le cas. Je n'ai pas eu le réflexe de les protéger. Je n'ai pensé qu'à ma petite personne, quand j'ai plongé ma tête sous la table.

8 h 46

On sait maintenant assez précisément ce qui est arrivé à 8 h 46. Un Boeing 767 d'American Airlines transportant 92 passagers dont 11 membres d'équipage s'est encastré dans la face Nord de la tour n° 1, entre le 94e et le 98e étage, ses 40 000 litres de kérosène prenant immédiatement feu dans les bureaux de Marsh & McLennan Companies. Il s'agissait du vol AA 11 (Boston-Los Angeles) ayant décollé à 7 h 59 de l'aéroport de Logan et se déplaçant à la vitesse de 800 km/h. La force d'un tel impact est estimée équivalente à l'explosion de 240 tonnes de dynamite (choc de magnitude 0,9 qui durerait 12 secondes). On sait aussi qu'aucune des 1 344 personnes prisonnières des 19 étages supérieurs à cet impact n'a survécu. Evidemment, cette information ôte tout suspense à ce bouquin. Tant mieux : ceci n'est pas un thriller ; juste une tentative – peut-être vouée à l'échec – de décrire l'indescriptible.

Genèse, XI, 1-3 :
« La terre n'avait alors qu'une seule langue et qu'une même manière de parler. Et comme ces

peuples étaient partis du côté de l'Orient, ayant trouvé une campagne dans le pays de Sennaar, ils y habitèrent ; et ils se dirent l'un à l'autre : Allons, faisons des briques, et cuisons-les au feu. Ils se servirent donc de briques comme de pierres, et de bitume comme de ciment. »

8 h 47

Il y a deux conséquences immédiates à la pénétration d'un Boeing d'American Airlines sous vos pieds. Premièrement, le gratte-ciel se transforme en métronome, et je vous assure que quand le One World Trade Center se prend pour la tour de Pise, cela fait un drôle d'effet. Ce que les spécialistes appellent la « shock wave » vous donne l'impression d'être dans un bateau en pleine tempête ou, pour choisir une métaphore que mes enfants peuvent comprendre : c'est comme se trouver à l'intérieur d'un milk-shake géant pendant trois ou quatre secondes. Les verres de jus de fruits se fracassent par terre, les appliques murales se détachent et pendouillent aux fils électriques, les faux plafonds en bois s'effondrent et l'on entend venir de la cuisine le bruit des assiettes renversées. Les bouteilles du bar roulent et explosent. Les bouquets de tournesols tombent et les vases se brisent en mille morceaux. Les seaux à champagne se déversent sur la moquette. Les chariots de pâtisseries roulent dans les travées. Les visages tremblent autant que les murs.

Deuxièmement, on a chaud aux oreilles quand la boule de feu passe devant la vitre, puis une épaisse fumée noire envahit tout, s'infiltrant par le sol, les murs, les cages d'ascenseur, les grilles d'aération, découvrant une quantité invraisemblable d'orifices censés apporter de l'air pur et qui feront désormais l'inverse : car le système de ventilation devient un système de fumigation. Immédiatement tout le monde se met à tousser, et se protège la bouche avec les serviettes de table. Cette fois je me suis souvenu de l'existence de Jerry et David : après les avoir trempées dans la flaque de jus d'orange, je leur ai tendu deux serviettes, sous la table où nous étions accroupis tous les trois.

— Respirez à travers le tissu, c'est un test, ils font ça souvent à New York, un « fire drill » comment ils disent. Rien à craindre les chéris, c'est même plutôt rigolo, non ?

— Papa, c'est l'avion qui est rentré dans la tour ? KESKISPASSE PAPA ?

— Pas du tout, je souris, vous en faites pas les gars, c'est truqué mais je voulais vous laisser la surprise : c'est une nouvelle attraction, l'avion c'est un film en 3D, George Lucas a supervisé les effets spéciaux, ils organisent une fausse alerte tous les matins ici, vous avez bien flippé pas vrai ?

— Mais papa, ça tremble de partout, même les serveurs crient de trouille...

— Don't worry, ils font trembler le restaurant grâce à des vérins hydrauliques comme

77

dans les « amusement parks ». Et puis les serveurs sont des comédiens, c'est un vieux truc, des figurants infiltrés parmi les clients comme aux « Pirates des Caraïbes » ! Dave, tu te souviens des « Pirates des Caraïbes » ?

— Ouais, p'pa. Et comment elle s'appelle cette attraction ?

— « Tower Inferno ».

— Ah, bon... Putain, on s'y croirait...

— Dave, on ne dit pas « putain », même dans une tour infernale, OK ?

Jerry semblait moins rassuré que David par mon pipeau à la Benigni mais c'était la première idée qui m'était venue, je me suis dit qu'il fallait insister là-dessus pour qu'il ne se mette pas à chialer tout de suite. Si Jerry chialait, je n'étais pas certain de ne pas l'imiter, et David risquait d'emboîter le pas. Or David n'a jamais pleuré ; pas question qu'il commence maintenant.

— Avouez que les trucages sont saisissants : la fumée qui sort de partout, et les clients payés pour paniquer, c'est hyper bien fichu leur machin !

Autour de nous les gens s'étaient relevés, et se regardaient entre eux, pétrifiés. Certains, qui s'étaient jetés sous leur table de breakfast comme nous, relevaient maintenant la tête, un peu gênés de ne pas être des héros. Les pancakes de Jerry gisaient sur le sol, incrustés de morceaux de porcelaine. Le pot de maple syrup se vidait entre les chaises renversées. Derrière les Fenêtres du Monde on ne distinguait plus rien : un rideau noir, opaque, masquait à présent la vue. La nuit était tombée, New York avait disparu et le sol grondait. Je peux vous dire que tout le monde ici n'avait qu'une idée en tête, assez bien résumée par le chef cuistot :

— We've got to get the hell out of here.

Finalement j'aurais bien aimé être dans un de ces navets-catastrophe à la con. Parce que la plupart ont une happy end.

8 h 48

Autres noms possibles pour le restaurant du World Trade Center :
— *Windows on the Planes*
— *Windows on the Crash*
— *Windows on the Smoke*
— *Broken Windows*
Pardonnez cet accès d'humour noir : bouclier fugace contre l'atrocité.

Le *New York Times* a recueilli quelques témoignages en provenance du *Windows on the World* à cet instant. Sur deux vidéos amateur, on voit que la fumée très épaisse s'infiltre à une vitesse hallucinante dans les étages supérieurs. Paradoxalement, le restaurant est beaucoup plus enfumé que les étages situés juste au-dessus de l'impact, parce que la fumée met plusieurs dizaines de mètres à s'épaissir. On dispose des traces d'un coup de téléphone passé par Rajesh Mirpuri à son boss, Peter Lee, de Data Synapse. Il tousse et dit qu'il ne voit pas à cinq mètres. La situation se détériore rapidement. Chez Cantor Fitzgerald (au 104e étage), le feu bloque les escaliers. Les employés se réfugient dans les bureaux de la face Nord, dont une cinquantaine dans la même « Conference Room ».

A ce moment, la plupart pensent encore qu'il s'agit d'un accident. De nombreux témoignages attestent que la majorité d'entre eux a survécu jusqu'à l'effondrement de l'immeuble à 10 h 28. Ils ont souffert 102 minutes – la durée moyenne d'un film hollywoodien.

Extrait d'*A Rebours* de Huysmans :
« C'était le grand bagne de l'Amérique transporté sur notre continent ; c'était enfin, l'immense, la profonde, l'incommensurable goujaterie du financier et du parvenu, rayonnant, tel qu'un abject soleil, sur la ville idolâtre qui éjaculait, à plat ventre, d'impurs cantiques devant le tabernacle impie des banques !

Eh ! croule donc, société ! meurs donc, vieux monde ! s'écria Des Esseintes, indigné par l'ignominie du spectacle qu'il évoquait... »

Je le savais ! Le vrai coupable de l'attentat n'est pas Oussama Ben Laden mais ce fieffé Des Esseintes. Je me doutais bien que ce dandy décadent adoptait un comportement un peu louche. A force de trouver esthétique le nihilisme, les enfants gâtés cautionnent les mass murderers. Tous les excentriques garçonnets qui professent la haine en ricanant ont désormais des taches de sang sur leur plastron. Aucun teinturier ne parviendra jamais à ravoir les éclaboussures d'hémoglobine sur leur gilet si raffiné. Le dandysme est inhumain ; les extravagants, trop lâches pour passer à l'acte, préfèrent suicider les autres qu'eux-mêmes. Ils tuent les mal habillés. Des Esseintes assassine de ses mains blanches des innocents qui ont commis le crime d'être banals. Son mépris snob est un lance-flammes. Comment me faire pardonner le meurtre de la vieille dame de Floride à la page 201 du roman précédent? On croit pointer du doigt des responsables involontaires, des fonds de pension anonymes et impersonnels, des structures virtuelles. Mais au bout du compte ce sont des gens qui hurlent, qui supplient et saignent. La fin du monde est ce moment où la satire devient réalité, où les métaphores deviennent vraies, où les caricaturistes se sentent morveux.

8 h 49

Le premier réflexe est de se jeter sur son portable. Mais comme c'est le premier réflexe, tout le monde a la même idée et le réseau est saturé. Tout en appuyant frénétiquement sur la touche verte du rappel automatique, je continue d'essayer de faire croire aux garçons que cette nuit suffocante est une fête foraine.

— Vous allez voir : ils vont envoyer bientôt une fausse équipe de secours, ça va être extra ! Il est vachement bien imité, ce nuage noir, non ?

Le couple d'amants brokers me considère avec apitoiement.

— Fuck ! dit la blonde en Ralph Lauren. Tirons-nous de ce hammam infect.

Le brun se lève et fonce vers les ascenseurs en tirant sa maîtresse par la main. Je leur emboîte le pas, un fils à chaque bras. Mais les ascenseurs sont « out of order ». Derrière son desk, l'hôtesse d'accueil sanglote :

— Je ne suis pas formée pour ce genre de situation, moi... Il faut évacuer par les escaliers. Suivez-moi...

La majeure partie des clients du *Windows on the World* ne l'a pas attendue. Ils s'agglutinent

83

dans la cage d'escalier enfumée. Ils toussent en file indienne. Un vigile black vomit dans une poubelle. Il a déjà essayé de descendre quatre étages.

— J'arrive d'en bas, c'est empoisonné, n'y allez pas, ça flambe là-dedans !

On y va quand même. La désorganisation est totale : le crash a coupé tous les systèmes de communication avec l'extérieur. Je me tourne vers Jerry et David qui commencent à geindre.

— Bon, les enfants, si on veut gagner la partie, il ne faut surtout pas donner l'impression qu'on s'est fait avoir. Donc aucune panique, s'il vous plaît, sans quoi c'est l'élimination. Vous allez suivre papa et on va essayer de descendre. Vous avez déjà joué à des jeux de rôle genre « Donjons et Dragons » ? Les vainqueurs sont ceux qui auront le mieux bluffé leurs adversaires. Si on montre le moindre signe de faiblesse on paume le jeu, got it ?

Les deux frères hochent la tête poliment.

Je m'aperçois que j'ai oublié de me décrire. J'ai été très beau, puis beau, puis pas mal, et à présent je suis assez moyen. Je lis beaucoup de livres en soulignant les phrases qui me plaisent (comme tous les autodidactes) (c'est pourquoi les personnes les plus cultivées sont souvent les autodidactes : elles révisent toute leur vie l'examen qu'elles n'ont jamais passé). Les bons jours, je ressemble physiquement à l'acteur Bill Pullman (le président des Etats-Unis dans *Inde-*

84

pendence Day). Les mauvais jours, c'est plutôt Robin Williams à condition qu'il accepte d'interpréter le rôle d'un agent immobilier texan à la démarche un peu gauche, la calvitie naissante et affublé de pattes-d'oie au coin des yeux (l'abus de soleil, yeah). Dans quelques années, je finirai par faire un candidat potable au « George W. Bush lookalike contest », enfin, je veux dire, si je m'en sors.

Jerry est mon fils aîné, c'est pourquoi il est si sérieux. Les aînés essuient les plâtres. Il me fait penser à ma mère. J'aime sa façon de tout prendre au premier degré. Je peux lui faire croire n'importe quel bobard, il gobe tout, mais après il m'en veut de lui avoir menti. Droit, sincère, courageux : Jerry est l'homme que j'aurais dû être. Parfois j'ai l'impression qu'il me déteste. Je crois que je le déçois. Tant pis : c'est le destin des pères de décevoir les fils. Même Luke Skywalker, son père c'est Darth Vador ! Jerry est exactement comme moi à son âge : confiant dans l'ordre des choses, impatient que tout se passe bien. C'est plus tard qu'il perdra ses illusions. Je ne le lui souhaite pas. J'espère qu'il gardera toujours ce regard aussi franc que bleu. Jerry, j'ai besoin de toi. Autrefois, les enfants se servaient de leurs parents comme guides. Aujourd'hui c'est le contraire.

David, lui, bien sûr, comme il a deux ans de moins, doute sans cesse de tout, de ses cheveux blonds avec frange, de l'utilité d'aller à l'école,

de l'existence du père Noël et des Hanson Brothers. Il ne parle presque jamais, sauf pour
exaspérer son frère. Au début avec Mary on
avait peur qu'il soit anormal : il n'a jamais
pleuré de sa vie, pas même à sa naissance. Il ne
réclame rien, ne dit rien, se tait avec élo-
quence ; je devine qu'il n'en pense pas moins. Il
passe sa vie devant des jeux vidéo et quel-
quefois humilie la machine. Son occupation
favorite consiste à se moquer de Jerry mais je
sais qu'il se ferait tuer pour lui. Que devien-
drait-il sans son frangin ? Probablement
n'importe quoi, comme moi depuis que je suis
loin de ma grande sœur. David se ronge les
ongles des mains et, quand il n'en a plus,
s'attaque aux ongles des pieds. S'il avait des
ongles ailleurs, sur le nez, aux coudes ou aux
genoux, il les mangerait aussi, vous pouvez
compter là-dessus. Il fait tout ça en silence. Un
enfant qui ne pleure jamais, c'est l'idéal, je ne
m'en plains pas, mais en même temps c'est un
peu angoissant, par moments. J'aime bien
quand il se gratte la tête pour faire croire qu'il
réfléchit. J'ai quarante-trois ans et me suis
récemment mis à l'imiter. C'est bien ce que je
disais : les parents copient leurs enfants.
Connaissez-vous un meilleur moyen de rester
jeune ? David est espiègle, grognon, chétif, blafard, ombrageux et misanthrope. Il me fait
penser à mon père. D'ailleurs c'est peut-être
lui ! Jerry est ma mère et David mon père.
— MAMAN ! PAPA ! DANS MES BRAS !

— Hé, Dave, ça y est, dit Jerry d'un ton effaré, le vioque a perdu la boule.

David m'a regardé en fronçant les sourcils mais n'a rien dit, comme d'habitude. Nous venions d'arriver au 105ᵉ étage.

8 h 50

Ce qu'ils ignorent et que je sais aujourd'hui (ce qui ne me rend aucunement supérieur, juste postérieur à eux), c'est que le Boeing a détruit toutes les issues : escaliers obstrués, ascenseurs fondus ; Carthew et ses deux fils sont bel et bien coincés dans un four.

Signé : Monsieur je-sais-tout. (En anglais : « Mister Know-it-all ».)

La tour Montparnasse fut inaugurée en 1974, à peu près en même temps que le World Trade Center. 10,5 hectares. 2 011 m² par étage. 103 000 m² de bureaux, 30 000 m² de commerces, 16 000 m² d'archives et de réserves, 100 000 m² de parties communes, 21 000 m² de locaux spéciaux, 1 850 emplacements de voitures. Largeur : 32 mètres. 25 ascenseurs et 7 200 fenêtres. Poids : 120 000 tonnes. Fondations : 56 pieux ancrés à 70 mètres au-dessous du parvis, enjambant quatre lignes de métro.

Voilà pourquoi cet immeuble me fout la trouille à 8 h 50. Depuis le Onze Septembre, je vous assure que je regarde la tour Montparnasse autrement, comme un vaisseau spatial de passage, une fusée prête à redécoller. La dernière quille debout dans une partie de bowling. Saviez-vous qu'au départ du projet Maine-Montparnasse, Pompidou voulait faire construire deux tours identiques ? Il en fut question pendant longtemps, puis il y renonça.

Au lycée Montaigne, l'ennemi c'était la discipline, l'éducation considérée comme un embrigadement, l'ennui des cours interminables, la glauquerie de la démocratie capitaliste. Désobéir était plus romantique. J'admirais les exploits d'Action directe à la télé. Eux ils étaient libres, faisaient exploser des bombes, kidnappaient des exploiteurs ventripotents. Nathalie Ménigon était plus sexy qu'Alice Saunier-Seïté. En classe, le grand chic était d'arborer un foulard palestinien, mais moi j'étais en Burberry's ; tu parles d'un rebelle. Le terrorisme était bien plus glamour que mon contrôle d'histoire de vendredi prochain. J'aurais dû fuguer, vivre dans la clandestinité, mais les squats étaient moins bien chauffés que l'appartement de ma mère. C'est au lycée Louis-le-Grand que je me suis mis à dévorer des manifestes révolutionnaires tout en poursuivant mes études. Ainsi je pouvais gagner sur tous les tableaux : je ne me ferais pas tabasser par la police, ne finirais pas mes jours dans des quartiers de haute sécurité, mais je pouvais citer Raoul Vaneigem pour avoir l'air cool. J'étais un révolté Canada Dry : j'avais la couleur de la révolte, je ressemblais à un révolté, mais je n'étais pas un révolté. Un jour un journaliste américain trouverait un diminutif pour désigner les Bourgeois-Bohèmes : il les baptiserait les « bobos ». Moi je m'apprêtais à devenir un Riche-Rebelle : un « RiRe ».

8 h 51

Coup de chance (si l'on peut dire) : au 105ᵉ étage, le portable passe. Et sonne chez Mary.

— Hello ?

— Mary ? C'est Carthew. Excuse-moi, on tousse beaucoup mais les petits vont bien, on va essayer de se tirer d'ici.

— Carthew ? Pourquoi tu chuchotes ? De quoi tu parles exactement ?

— Il y a eu un accident mais je fais croire aux garçons que c'est une attraction. Allume la télé, tu vas vite comprendre.

Silence, bruit de pas, j'entends un téléviseur qu'on allume, puis un hurlement strident : « Oh Lord, tell me this is not hapenning. »

— Carthew, ne me dis pas que vous êtes là-haut !

— Merde, c'est toi qui m'as dit de les réveiller tôt pour pas qu'ils se déshabituent des horaires de l'école ! Je te jure que je préférerais être ailleurs. Je l'ai vu, Mary, j'ai VU cette saloperie d'avion rentrer sous nous ! Il commence à faire chaud, il y a de la fumée partout mais les garçons sont OK, quitte pas, Jerry veut te parler.

— Mum ?

— Oh mon chéri ça va ? Tu n'as pas de bobo ? Fais attention à ton petit frère, d'accord ?

— Mummy, elle est pas démente cette attraction et puis ça pue ici, je te passe Dave.

— ...

— David ?

— ... Kof kof ! (il tousse) Maman, y a Jerry qui veut pas me prêter son appareil photo !

— Bon Mary, c'est Carthew à nouveau. Essaie de savoir s'ils envoient des secours parce qu'ici on n'arrive pas à joindre le Lobby. Putain, on n'a aucune consigne d'évacuation ! Rappelle-moi, à plus.

Nous sommes toujours dans la cage d'escalier éclairée au néon, à suivre le troupeau qui descend les marches avec la même discipline que des moutons qu'on mène à l'abattoir. Soljenitsyne comparait les déportés du goulag à des agneaux. Mêêê. Quelle connerie d'avoir emmené les gosses ici, ça faisait chier tout le monde, les garçons autant que moi. Toutes ces corvées que l'on s'impose en croyant bien faire... Nous sommes punis de ne pas avoir fait la grasse matinée. Regarde-les, les lève-tôt cravatés, les rasés de frais, les working girls overparfumées, les assidus du *Wall Street Journal*... Auraient tous mieux fait de rester dans leur plumard.

— Ça va les enfants ? Gardez bien la serviette sur le nez et la bouche. Et ne touchez pas les rampes, elles sont brûlantes.

Le troupeau grossit dans le silence, à chaque étage nous sommes rejoints par une cohorte traumatisée de costards gris et de tailleurs roses. Nous enjambons les dalles de faux plafonds qui encombrent le passage. La chaleur est étouffante. Parfois quelqu'un soutient son voisin, ou pleure, mais la plupart se taisent, toussent, espèrent.

8 h 52

Mes parents se sont rencontrés sur la côte basque mais sont partis très vite faire leurs études en Amérique. On a oublié aujourd'hui à quel point les universités des Etats-Unis, en particulier les business schools, attiraient les brillants diplômés français. Mon père s'est donc envolé pour Harvard afin de passer son MBA (comme, plus tard, George W. Bush), ma mère l'a accompagné et en a profité pour décrocher un Master d'histoire à Mount Holyoke. L'Amérique des années 50 : comme sur les documentaires en noir et blanc. Le rêve s'étendait au reste du monde occidental. Les longues Cadillac à ailerons, les ice-creams extra-large, le buttered pop-corn au cinéma, Eisenhower réélu : symboles magiques d'un bonheur parfait. C'était l'Amérique qui tenait ses promesses, le pays de cocagne décrit par le beau et bronzé Philippe Labro. A l'époque, la contestation restait marginale. Personne ne traitait les hamburgers McDonald's de fascistes. Mon père riait aux blagues de Bob Hope à la télé. Ils allaient au bowling. La jeunesse bourgeoise inventait la mondialisation. Elle avait confiance

94

en l'Amérique, incarnation de la modernité, de l'efficacité, de la liberté. Dix ans plus tard, cette génération a voté Giscard parce qu'il était jeune comme JFK et JJSS. Des hommes brillants, bondissants, sans chichis. On allait enfin se débarrasser des pesanteurs de l'éducation européenne. Foncer. Etre direct. Aller droit au but. Aux Etats-Unis, la première question qu'on vous pose c'est : « Where are you from ? » parce que tout le monde vient d'ailleurs. Puis on dit « Nice to meet you » parce qu'on aime rencontrer des inconnus. Aux Etats-Unis, lorsque vous êtes invité chez quelqu'un, vous avez le droit de vous servir dans son frigo sans demander la permission à la maîtresse de maison. De cette époque datent certaines expressions que j'ai entendues souvent chez moi : « put your money where your mouth is », « big is beautiful », « back-seat driver » (ma préférée, que maman nous sortait quand nous l'énervions à l'arrière de sa voiture), « take it easy », « relax », « give me a break », « you're overreacting », « for God's sake ». L'utopie capitaliste était tout aussi insensée que l'utopie communiste, mais sa violence restait cachée. Elle a remporté la guerre froide grâce à son image : certes des gens crevaient de faim en Amérique comme en Russie, mais ceux qui crevaient de faim en Amérique étaient libres de le faire.

Cela se passait bien avant 68 : les Beatles avaient encore les cheveux courts. Je me souviens que mes parents répétaient souvent que l'Amérique avait dix ans d'avance sur la France. Même la Révolution française avait eu lieu une décennie après la leur ! Si l'on voulait connaître l'avenir, il fallait avoir les yeux rivés sur ce pays idyllique. Mon père lisait le *Herald Tribune*, *Time*, *Newsweek*, et cachait *Playboy* dans le tiroir de son bureau. CNN n'existait pas encore mais *Time Magazine*, avec sa couverture encadrée de rouge, c'était comme du CNN imprimé en quadrichromie. Ma mère avait obtenu une bourse pour faire le tour des Etats-Unis en Greyhound Bus. Elle me racontait le vent du large, l'aventure des highways, les motels, les Buick, les drive-in, les drugstores, les diners, les radios dont tous les noms commençaient par « W ». Le monde entier regardait l'Amérique avec envie, parce qu'on regarde toujours son futur avec envie. Mai 68 n'est pas venu de l'Est : on discourait beaucoup sur Trotski et Engels, mais l'influence la plus forte venait de l'Ouest. Je suis convaincu que Mai 68 vient des USA plus que de l'URSS. Le désir le plus fort était de foutre en l'air les vieilles conventions bourgeoises. Mai 68 ne fut pas une révolte anticapitaliste mais au contraire l'installation définitive de la société de consommation ; la grande différence entre nos parents et nous, c'est que nos parents manifestaient *pour* la mondialisation ! J'ai grandi dans la décennie suivante, sous l'ombre bienveillante de la bannière étoilée flottant sur la lune et des affiches

Snoopy de Schulz. Les films sortaient là-bas avant chez nous, mon père rapportait des gadgets de ses voyages d'affaires : la mallette du *Muppet's Show*, les produits dérivés de *Star Wars*, la pâte molle Slime, une poupée E.T... C'est dans ces années-là, les années de mon enfance amnésique, que le Spectacle de l'Amérique a séduit le reste du monde.

J'espère que l'Amérique a toujours dix ans d'avance sur nous : cela signifie que la tour Montparnasse a encore une décennie devant elle.

8 h 53

Du 104ᵉ étage, à travers la fumée noire j'ai pu apercevoir la foule qui courait vers la mer. Une marée humaine fuit les tours. Qu'attendent-ils pour organiser l'évacuation ? On nous laisse sans instructions. Nous sommes dans l'escalier, au niveau de Cantor Fitzgerald, quand la fumée devient insupportable, empoisonnée, solide, gluante et noire comme du pétrole (d'ailleurs c'en est). La chaleur aussi nous fait rebrousser chemin. Le couple de traders tombe dans les bras de leurs collègues couverts de suie. Tout l'étage est inondé : les sprinklers crachent la bruine de sécurité. Douche pour tout le monde. Les marches sont couvertes d'eau ; David joue à sauter dans le ruisseau pour faire floc-floc.

— Fais gaffe ! Tu vas glisser et te péter la gueule !

Jerry le tient par la main.

— OK c'était un piège, il ne fallait pas descendre, Jerry, on va remonter, qu'en penses-tu ? C'est un vrai jeu de piste, cette attraction.

— Mmghpfgmmz.

Je ne comprends pas bien ce qu'il dit dans sa serviette noircie. Mais il baisse la tête en signe d'approbation. Nous faisons donc demi-tour. Jerry est mon fils préféré les jours impairs, David les jours pairs. Par conséquent, aujourd'hui je préfère Jerry, en particulier parce qu'il me croit sur parole quand je lui explique que tout ça n'est qu'une farce, une illusion d'optique, alors que David se tait mais comprend tout. Tandis que nous revenons sur nos pas, croisant dans le flot des visages de plus en plus apeurés, devant nous un homme éclate d'un rire nerveux en agitant la lance à incendie qui ne fonctionne pas (certaines canalisations ont dû être sectionnées par l'avion). La tension monte, il va falloir jouer serré. Je mérite un Academy Award ! Je serre un enfant dans chaque paume en interprétant le rôle du père courage.

— Je trouve que c'est une excellente initiative d'organiser des répétitions grandeur nature, comme ça les gens sont préparés en cas d'incendie. C'est une bonne méthode d'information. Vous voyez, là c'était pour nous apprendre qu'en présence de feu il ne faut pas descendre mais plutôt remonter. C'est un jeu pédagogique.

Et tout d'un coup c'est David qui prend la parole, en fixant les marches de l'escalier au milieu desquelles coule une rivière.

— Papa, tu te souviens quand on est allés au Rodéo de Dallas, avec le cow-boy qui s'était blessé en tombant d'un taureau ?

— Euh, oui, oui...

— Eh ben tu nous avais fait croire qu'il avait rien le type, et que c'était prévu qu'il tombe et

99

que tout ça c'était calculé, que c'était un cascadeur professionnel et tout, mais le lendemain, à la télé, on a vu le cow-boy dans une chaise à roulettes et dans le journal ils disaient qu'il était tétarplénique.

— Tétraplégique, Dave. On dit tétraplégique.

— Oui, c'est ça : le cow-boy il était tétraplézique.

Je préférais quand David ne pipait mot. Jerry a embrayé ; ce n'était pas une révolte mais la révolution :

— Papa, t'es pas obligé de nous faire croire que tout est truqué, let's face it : this time it's for real.

David, Jerry, mes petits garçons, comme vous avez grandi vite.

— OK, OK, les gars, je me suis peut-être trompé, c'est peut-être pas un jeu, je n'insiste pas, mais remontons tout de même dans le calme, les secours vont arriver, so keep cool.

J'ai dit ça en levant les yeux au ciel pour leur faire croire que je n'en croyais pas un mot et j'ai grommelé à voix haute, comme me parlant à moi-même :

— C'est bien ma veine, si en plus les gosses croient que toute cette mascarade c'est pour de vrai, je vais vraiment avoir l'air d'un crétin devant les autres participants... M'enfin tant pis !

David mon bébé. Tough guy. Un vrai Texan, ma parole, et moi qui viens de prendre un coup de vieux. Nous sommes de retour au 105ᵉ étage. Le troupeau tergiverse dans ces cages aux murs jaune citron fraîchement repeints. Des mines effarées hésitent entre le haut et le bas. Il y a débat : mourir vite ou mourir lentement ? L'inquiétude me gagne en entendant les sirènes des étages inférieurs qui, elles, ne sont pas en panne, et nous cassent les oreilles. Un boucan d'enfer, et la chaleur qui augmente seconde après seconde. Soudain, après 30 tentatives, enfin le réseau repasse : ça sonne chez Candace. Elle doit dormir, je laisse un message sur son répondeur.

— Je sais que tu ne me croiras pas mais je t'aime. Tu comprendras en te réveillant pourquoi je suis romantique ce matin.

Je chuchote à nouveau pour que les enfants n'entendent pas.

— It doesn't look good, babe. Quel con j'ai été. Si on s'en sort, je t'épouse. Je raccroche parce que je vais essayer de respirer pour nous trois. Love, Carthew.

8 h 54

Moi aussi, il y a quinze ans, je suis allé faire un tour au *Windows on the World*, mais pas à l'heure du petit déjeuner. C'était en juillet 1986, tard le soir. Les lumières du Trade Center figuraient mon étoile du berger. J'avais vingt ans et j'effectuais un stage dans la succursale new-yorkaise du Crédit Lyonnais (95 Wall Street), au département analyses. Mon occupation principale durant ce stage était de dormir au bureau sans que Philippe Souviron – le patron de cette filiale, un copain de mon père – ne s'en aperçoive. A l'époque le *Windows on the World* devenait un repaire de têtes à claques après minuit, sous un nom cette fois vraiment arrogant : *The Greatest Bar On Earth*. Le Meilleur Bar de la Terre s'était lancé dans des soirées à thème le mercredi : latino, beatbox, electric boogie, avec des deejays et toute une faune de sales petits cons dans mon genre mais bon, c'était après le service, le restau était fermé et la veste restait exigée à l'entrée. Je me souviens du bar rouge, en forme de U, et de ses barmen méprisants. Celui du milieu m'avait toutefois à la bonne parce que je lui avais lâché

102

trop de pourboire sans le faire exprès (confondant un billet de vingt dollars avec un billet de cinq). Il me servait des doubles Jack Daniel's avec de la glace pilée jusqu'au bord et deux petites pailles courtes dont j'aurais bien aimé me servir pour autre chose si j'avais eu le matos. Les tables du *Greatest Bar On Earth* s'étageaient sur plusieurs niveaux, en escalier, comme au *Ciel de Paris*, et pour la même raison : afin que tous les clients puissent admirer la vue, gigantesque, époustouflante, « spectacular », mais malheureusement coupée en tranches, car les hautes baies vitrées étaient divisées en tronçons d'un mètre de large. Ces tours nées du rêve d'un Japonais (Yamasaki), qui tenait beaucoup à ce que les colonnes extérieures possédassent la largeur d'épaules humaines, évoquaient de l'intérieur une prison géante. Le Japonais est fourbe : les piliers verticaux d'acier qui longeaient les deux tours de bas en haut me barraient le panorama comme les barreaux d'une cellule (c'est d'ailleurs la seule chose qui résista à leur effondrement, ces fuseaux métalliques et parallèles qu'on retrouva plantés dans Ground Zero, telle une herse rouillée sur les ruines d'un château fort du XIIIe siècle après une bataille sanglante, ou les ogives d'une cathédrale gothique incendiée par les barbares).

Je buvais néanmoins des bourbons penchés sur le vide, tanguant par prémonition. Je me saoulais au milieu des hélicoptères clignotants dans ce lieu qui n'existe plus. Est-il possible que

103

je sois le même homme que celui qui plastronnait tout là-haut il y a quinze ans ? Nous dansions sur *Into the groove* de Madonna entourés de fenêtres. Je renversais du whiskey sur les robes de filles empâtées de Riverside Drive qui méprisaient les « bridge-and-tunnel crowd » (surnom qu'elles donnaient aux banlieusards, ceux qui avaient besoin de traverser des ponts et des tunnels pour venir à Manhattan). Je rêvais d'un destin à la Donald Trump, Mike Milken, Nick Leeson, les poches pleines et sous les yeux. Je me la jouais pas mal, au *Windows of the World* ; mais le passé est mort, et rien ne prouve que ce qui n'existe plus a jamais existé.

Le soir où j'y suis monté, le ciel de New York était couvert mais la tour forait les nuages. Le *Greatest Bar on Earth* nageait au-dessus de la mer de coton. A droite les nantis contemplaient le reflet des lumières de Brooklyn sur la mer, à gauche on n'avait aucune vue sauf ce tapis blanc et hydrophile, exactement comme celui qu'on peut admirer par le hublot d'un avion en vol. Le World Trade Center était un immeuble à rayures : imaginez deux colonnes de Buren de 410 mètres. Le deejay envoyait de l'air liquide, une fumée blanche gelée qui glissait sur le sol de la piste de danse. Nous dansions sur un tapis volant glacé.

Avec mon camarade de java de l'époque, Alban de Clermont-Tonnerre, nous étions sur un coup : une nana prénommée Lee, qu'il avait draguée dans un « single bar », ces fameux

« bars pour célibataires » qui excitaient beaucoup les Français sur la Deuxième Avenue. Il l'avait convaincue d'accepter un truc à trois mais elle tardait à se pointer au rendez-vous.

— Ouh le vesté ! Il s'est fait poser un lapin !

Alban n'en menait pas large, et moi non plus : notre expérience trioliste tombait à l'eau alors que nous n'en buvions pas. Quelques Jack Daniel's plus tard, je les retrouvai tout de même enlacés contre les vitres brisées depuis. Ils se léchaient le visage et j'en ai profité pour caresser les seins de Lee qui ont durci à travers sa robe violette. Elle s'est retournée brutalement et qu'a-t-elle vu ? Un grand dadais verdâtre, nageant dans un costume croisé prince-de-galles beaucoup trop large, un maigrichon blafard et boutonneux, aux cheveux longs et gras, un pervers au menton considérable, à peu près aussi séduisant qu'une gargouille tuberculeuse. Les premiers « serial killers » venaient de sévir, et je leur ressemblais beaucoup. J'avais une tête de mort dans ce restaurant décédé.

— Who's this guy ? Are you crazy ? get your fucking hands off me !

C'est alors que j'ai pigé, au regard embarrassé d'Alban, que le plan à trois était très mal barré, et qu'il s'était plutôt rabattu sur un plan à deux. M'en foutais, c'était une brunette pas terrible, plutôt boulotte, qui travaillait tellement qu'elle n'avait pas le temps d'avoir des histoires sérieuses ; c'est pourquoi elle fréquentait les « single bars », où elle savait pourtant bien qu'elle ne rencontrerait que des connards obsédés comme nous. Une fois de plus, je tenais la chandelle, et j'allais devoir rentrer bourré dans un truc jaune conduit par un Haïtien adepte du vaudou. Je suis retourné sur la piste de danse aujourd'hui disparue. J'avais probablement l'air déprimé ; en réalité, j'étais paralysé par la timidité. Les nanas se frottaient contre les chemises Brooks Brothers des traders millionnaires en dollars. J'avais un autre pote très playb' qui s'appelait Bernard-Louis : toutes les filles l'appelaient Bélou. « Bélou » par-ci, « Bélou » par-là. Je décidai de rester dans sa roue. C'était fatigant de ne pas être amoureux, il fallait séduire sans cesse et la compétition était rude. C'était sinistre d'avoir autant besoin d'être aimé. Je crois que c'est à ce moment-là que j'ai décidé de devenir célèbre.

8 h 55

La fumée pique les yeux des enfants.

— Mettez la serviette sur les yeux aussi. Le nez, la bouche, les yeux, tout le visage doit être couvert, do you read me?

Et Jerry et David se déguisèrent en « Casper le gentil fantôme », leurs serviettes sur la tête, tandis que le ciel bleu d'Armageddon apportait les premières larmes sur nos joues. Dieu merci, les serviettes ont empêché mes fils de voir les torches humaines du 106e : deux cadavres en feu devant la porte des ascenseurs, la peau rouge et marron, les yeux sans paupières, les cheveux en cendres, les visages arrachés et couverts de cloques, soudés au linoléum fondu. On voyait qu'ils étaient vivants à leur ventre qui bougeait. Tout le reste était immobile comme une statue. Je n'ai rien dit aux enfants et ils n'ont rien vu, même si je suppose qu'ils ont senti l'odeur de méchoui grillé.

Il fallait se ressaisir. Il devenait pénible d'accomplir une activité aussi simple que : respirer. Ne serait-ce qu'à cause de l'odeur, insoutenable. La pesante fumée charriait du

107

caoutchouc fondu, du plastique brûlé, de la chair calcinée. Parfum sucré du kérosène, écœurant et effrayant, poudre d'ossements et cendres de viande humaine. Mélange de nuage toxique, de gas-oil âcre, de crématorium, c'est l'odeur que vous sentez quand vous passez en voiture près d'une usine, la même que vous fuyez alors en accélérant en apnée. Si jamais la mort a un parfum, ce doit être celui-là. Les plafonds effondrés nous empêchaient de remonter au *Windows*. On a dû s'y mettre à dix pour soulever un panneau de béton. Nous nous sommes faufilés enfin pour rejoindre le toit de la ville dans les airs.

Au 107e étage, la serveuse et les deux frères qui bossent en cuisine ont cassé une vitre avec un guéridon. (Un tuyau : pour casser une grande baie vitrée, il ne faut pas utiliser un fauteuil ni un iMac. Ce qui marche c'est de foncer dans le verre avec un pied de guéridon en fonte, en s'en servant comme d'un bélier.) Les voilà accrochés aux fenêtres, à 400 mètres du sol, agitant des nappes blanches. La fumée foncée est épaisse comme du buvard imbibé de cambouis. Pourtant, par certaines trouées je peux saisir quelques images du dehors. Ce qui me fascine le plus, ce sont les feuilles de papier A4 qui volent dans l'azur : archives, photocopies, dossiers urgents, listings ronéotés sur papier à en-tête de la holding, lettres recommandées, chemises confidentielles, portfolios, sorties laser quatre couleurs, enveloppes autocollantes, enveloppes kraft à fermeture renforcée, étiquettes pré-imprimées, piles de contrats agrafés, reliures plastifiées, Post-it notes multicolores, factures en quatre exemplaires carbone, tableaux et bilans de graphiques, toute cette paperasserie éparpillée, cette papeterie envolée, l'importance relative de nos agitations. Ces milliers de feuillets volants me rappellent les lâchers de papiers que les New-Yorkais affectionnent lors des grandes « tickertape parades » sur Broadway. Mais que fêtons-nous aujourd'hui ?

Genèse, XI, 4 :
« Allons, dirent-ils, bâtissons-nous une ville et une tour dont le sommet touche le ciel ; et faisons-nous un nom. »

8 h 56

Nous savons tous précisément où nous étions le 11 septembre 2001. Personnellement, je donnais une interview à *Culture Pub*, au sous-sol de la maison Grasset, dans les archives, à 14 h 56 heure française, quand l'animateur Thomas Hervé a été averti sur son portable qu'un avion venait d'entrer dans une des tours du World Trade Center. Sur le coup, nous avons pensé à un petit avion de tourisme, et poursuivi notre entretien. Nous parlions de marketing culturel. Comment on sort un livre ? Faut-il se plier aux règles du jeu, et jusqu'où ? La télévision, la promotion, la publicité sont-elles des ennemies de l'art ? L'écrit est-il nécessairement antagonique à l'image ? A l'époque, je venais d'accepter d'animer une émission littéraire hebdomadaire sur une chaîne câblée. Je tentais de justifier mes contradictions d'écrivain-critique-animateur :

— Le rôle des livres est d'écrire tout ce qu'on ne peut pas voir à la télévision... La littérature est menacée, il faut se battre pour la défendre, c'est la guerre... Les gens qui aiment lire et écrire sont de plus en plus rares, c'est pourquoi

110

ils doivent jouer sur tous les tableaux... Utiliser toutes les armes dont ils peuvent disposer pour défendre le livre...

quand soudain quelqu'un de la maison d'édition est venu nous prévenir qu'un deuxième avion était entré dans l'autre tour du World Trade Center. Mes péroraisons littéraro-martiales prenaient une tournure bien ridicule. Je me souviens m'être récité à haute voix une équation mathématique assez simple (bien que peu euclidienne) :

1 avion = 1 accident
2 avions = 0 accident.

Thomas et moi sommes tombés d'accord sur le fait que mon combat-en-prime-time-pour-la-sauvegarde-de-l'art-scriptural-contre-l'oppression-médiatique pouvait attendre. Nous sommes montés à l'étage, dans le bureau de Claude Dalla Torre, une des attachées de presse de la maison, la seule à posséder un téléviseur en état de marche. TF1 diffusait LCI qui diffusait CNN : on voyait le second avion se diriger droit sur la tour intacte, tandis que l'autre building ressemblait à une torche olympique, ou à une tornade comme sur l'affiche de *Twister*. Les jeunes présentateurs du J.T. semblaient incrédules. Ils ne s'avançaient pas trop, meublaient le direct, craignaient de dire une connerie qui passerait en boucle dans tous les bêtisiers pendant trente ans. Très vite le bureau de Claude fut rempli de monde : chez Grasset, le moindre prétexte est toujours bon pour ne pas travailler. Chacun avait sa façon de réagir à l'événement.

Narcissique : – Ça alors ! J'étais encore là-haut il y a moins d'un mois !

Statistique : – Mon Dieu, combien de gens sont coincés là-dedans ? Il doit y avoir 20 000 morts !

Persécuté : – Moi, avec ma gueule de métèque, je sens que je vais me faire beaucoup contrôler par les flics dans les semaines à venir.

Inquiète : – Il faut appeler tous nos amis là-bas pour avoir des nouvelles.

Laconique : – Ah ben alors là, on rigole plus.

Marketing : – C'est très bon pour l'Audimat, ça, faut acheter de l'espace sur LCI !

Belliqueux : – Putain, cette fois, c'est la Troisième Guerre mondiale.

Sécuritaire : – Il faut mettre des flics dans tous les avions et blinder les cockpits.

Nostradamien : – Ah ça, je l'avais bien dit, et même écrit.

Médiatique : – Oh là là, faut que j'aille vite réagir sur Europe 1.

Antiaméricain primaire : – Voilà ce qui arrive quand on prétend régenter le monde.

Fataliste : – Un jour ou l'autre ça devait arriver.

Au fil des minutes, alors que nous regardions, comme hypnotisés, l'image qui repassait encore et encore de cet avion de ligne fonçant droit dans la tour (il ne tergiversait pas, il la *visait*, comme attiré par un aimant, avalé par la tour dans une boule de feu orange et noire), les blagues s'espaçaient, les visages s'allongeaient, les êtres s'asseyaient, les portables sonnaient, les cernes se creusaient. L'ampleur de la tragédie pesait progressivement sur nos épaules. Nous devenions tous bossus. Bref, on commençait à fermer nos gueules quand un troisième avion s'écrasa sur le Pentagone. Bon sang, le ciel leur tombait littéralement sur la tête. Vous connaissez la suite : avec l'effondrement de la tour Sud et celui de la tour Nord, à 16 h 30 heure française, le climat avait tourné à l'angoisse planétaire. J'étais tout pâle, je ne me souviens plus si j'ai dit au revoir à Françoise Verny en descendant l'escalier. J'ai dû rentrer à pied. A un moment, rue Saint-André-des-Arts, mon téléphone a sonné : c'était Eric Laurrent, collègue romancier publié aux Editions de Minuit, qui venait justement de terminer un livre se déroulant aux Etats-Unis (*Ne pas toucher*, désobéissez à ce titre, je vous le recommande). Il cherchait du boulot, venait m'offrir ses services sur mon émission littéraire. Je ne sais pourquoi, il n'était pas au courant de l'actualité.

— Excuse-moi, Eric, mais je me sens bizarre, là... C'est une drôle de journée...

— Ah bon, qu'est-ce qu'il y a ? Ça ne va pas ?

— Euh, ben, les deux tours du World Trade Center se sont effondrées, des avions se sont crashés partout, le Pentagone brûle, tout ça...

— Non mais sans déconner, je suis sérieux, s'il y a un plan boulot je postule, je suis un peu dans la merde financièrement.

113

Il avait raison de ne pas parvenir à me croire. J'avais un problème de crédibilité dans tout ce que je faisais, même quand je disais la vérité. Tout ça parce que j'avais gagné une fortune en critiquant les riches. J'avais l'air d'un cynique qui se moquait sans arrêt du cynisme. Même quand je disais « je t'aime », on ne me croyait jamais. Le coup de fil suivant fut pour ma fille : je voulais juste savoir où elle se trouvait. Chloë était injoignable, sa maman avait éteint son portable. J'ai dû attendre une demi-heure avant que la nounou ne me rappelle : la petite était au théâtre de marionnettes en train de regarder « Les Trois Petits Cochons ». J'ai eu de la chance : ce jour-là, aucun Boeing ne s'est écrasé sur le jardin du Luxembourg. Au téléphone, Chloë m'a raconté le spectacle :

— C'est l'histoire d'un loup qui veut manger les petits cochons mais eux ils vont dans une maison en pierre et le loup il arrive pas à les manger.

Et j'ai pensé qu'on avait tort d'inculquer tous ces mensonges aux enfants en bas âge.

8 h 57

*Concerto pour toux, éternuements, racle-
ments de gorge et étranglements.*

Curieux que pas un musicien d'avant-garde
n'en ait eu l'idée. Même pas John Cage ? Il por-
tait pourtant un nom tout désigné. Nous inter-
prétons un concert de toux dans une cage
transparente. Je me suis souvenu d'un voyage à
l'île de la Réunion, où Mary et moi avions
emmené les enfants visiter un volcan en activité.
Les émanations de soufre, la chaleur étouffante,
Jerry et David qui toussent et crachent, j'avais
l'impression d'y être à nouveau. Le World
Trade Center est un volcan en éruption. De
retour au *Windows on the World* (107e étage),
je ne vois qu'une solution : boucher les issues
avec nos vestes et blousons, fermer les portes
anti-incendie, appliquer des serviettes mouillées
devant chaque ouverture, renverser des tables
devant les grilles d'aération, et attendre les
secours. Dans le restaurant, les clients du
Risk Water Group sont regroupés du côté
nord-ouest (il y a moins de fumée). Certains
s'agrippent aux colonnes pour sortir la tête par

la fenêtre. Il y a de la place pour trois, peut-être quatre personnes serrées en se hissant. Juché sur une table, je porte Jerry et David pour qu'ils puissent inspirer à tour de rôle de l'air frais. Dans la grande salle et devant le bar, la fumée rampe sur le sol comme une nappe phréatique.

Les clients commencent à s'apercevoir qu'ils sont coincés ici. L'hôtesse d'accueil et le chef cuistot sont assaillis de questions. Que disent les consignes d'évacuation ? Vous n'avez pas le plan de l'immeuble ? Ils doivent presque se battre pour faire comprendre qu'ils sont autant dans la merde que nous. La grosse serveuse portoricaine se prénomme Lourdes ; elle m'aide à porter les enfants vers la fenêtre.

— Ne vous inquiétez pas, dit-elle, ils vont venir nous chercher. J'étais là quand la bombe a explosé en février 1993. Vous entendez les hélicos de la police ?

— Mais comment voulez-vous qu'ils nous embarquent ? C'est trop dangereux, ils ne peuvent pas approcher la façade !

— Well, en 93, ils ont évacué pas mal de gens par le toit.

— Damn it ! You're right ! Gimme a hug !

Je la prends dans mes bras et récupère les garçons.

— Venez avec moi, Lourdes. Tout à l'heure on s'est trompés de direction : au lieu d'essayer de descendre, il fallait monter ! Venez les enfants, le game continue : tous sur le toit !

116

Et nous voilà repartis tous les quatre vers les escaliers enfumés. Revigorés par l'air de l'extérieur, Jerry et David jouent à Beetlejuice avec leurs serviettes de table. Mais le vigile black nous interdit de retourner dans les escaliers.

— Impossible, ça brûle là-dedans.

— Il n'y a pas d'autre moyen d'accéder au toit ?

— Anthony, dit Lourdes, remember 93 ! We've got to get to the roof. Ils vont venir nous hélitreuiller du toit, si ça se trouve ils nous y attendent déjà !

Anthony réfléchit. Son bras est brûlé au deuxième degré mais il réfléchit. Sa chemise est en lambeaux mais il réfléchit. Et je sais maintenant ce qu'il pense : c'est foutu, mais je ne dois pas les décevoir.

— OK, follow me.

Nous embrayons son pas dans le dédale des cuisines et des bureaux du restaurant le plus haut du monde. Il contourne les cages d'escalier condamnées, traverse des couloirs encombrés de caisses de vins français, et nous fait grimper par une échelle d'acier. Jerry et David s'amusent comme des petits fous. Avec leurs serviettes blanches sur le visage, on dirait tantôt deux bandits de grand chemin, tantôt deux petites paysannes ukrainiennes. Nous arrivons au 108e étage. D'autres que nous ont eu la même idée. Bientôt nous sommes une vingtaine à chercher l'accès au toit. Je ne cesse de composer frénétiquement le 911 pour prévenir les secours. Jerry me demande pourquoi j'écris tout le temps la date d'aujourd'hui sur mon portable : 911, 911, 911. Nine Eleven.

— C'est une coïncidence, chéri. Une simple coïncidence.

— C'est quoi une conincidance ? demande David.

— C'est quand des trucs qui se ressemblent arrivent tous en même temps alors on croit que c'est fait exprès mais en fait c'est pas exprès, c'est ça une coïncidence, hein papa ? dit Jerry.

— Oui, c'est ça. C'est juste le hasard, mais les gens crédules croient que ce sont des signes. Par exemple, tu vois, des naïfs pourraient penser que c'est un message secret, que la date d'aujourd'hui soit aussi le numéro d'urgence de la police. Que quelqu'un a cherché à nous avertir. Mais bien sûr c'est du bullshit, ce n'est qu'une coïncidence, évidemment.

— C'est un gros mot, bullshit ? demande David.

— Oui, dit Jerry.

— Alors c'est pas bien de dire bullshit, papa.

Au *Ciel de Paris*, les consignes en cas d'incendie sont les mêmes qu'avant le Onze Septembre : descendre dans l'ordre et le calme par les escaliers. Et si les escaliers sont détruits, enfumés, chauffés à blanc, transformés en four ? Euh, attendre sagement la mort par brûlure, asphyxie ou broyage. Très bien, merci. Les passages qui conduisent au toit sont toujours fermés pour empêcher les petits malins de venir festoyer la nuit. C'est arrivé : il y a quelques années, des bandes de squatters avaient organisé un pique-nique en haut de la tour. Depuis, on surveille les allées et venues du moindre jeune alcoolique.

— De toute façon, m'a déclaré un membre du service de sécurité, si un 747 entrait dans la tour Montparnasse, elle serait coupée en deux directement, on n'aurait pas à se poser ce genre de questions.

Voilà qui est rassurant. Pour penser à autre chose, une grave interrogation sémantique me saisit : quel verbe utiliser pour désigner un avion se posant dans un immeuble ? « Atterrir » ne convient plus puisqu'il n'est plus question de

119

toucher terre (même problème en anglais : « to land » suppose la présence d'un pays sous les roues). Je propose : « immeublir ». Exemple : « Mesdames et Messieurs, ici votre commandant de bord. Nous approchons notre destination et allons donc bientôt immeublir à Paris. Nous vous remercions de relever vos tablettes, de redresser votre siège et d'attacher vos ceintures. Nous espérons que vous avez fait un agréable voyage en compagnie d'Air France et regrettons de ne plus jamais vous revoir sur nos lignes, ni ailleurs. Préparez-vous à l'attourrissage. »

Cela dit, le toit se visite durant la journée. Contrairement à celui de la tour Nord du World Trade Center (inaccessible), celui de la tour Montparnasse est ouvert au public contre 8 euros. On peut alors prendre l'ascenseur qui mène au 56e étage en compagnie de quelques Japonais vêtus de noir et d'un vigile moustachu en blazer marine à boutons dorés. (Moi aussi, autrefois, on m'habillait comme ça : pantalon de flanelle qui gratte et veste de capitaine, et je faisais la même gueule furieuse.) Au 56e, on visite une petite expo sur Paris et on peut déjà profiter de la vue panoramique. Mon regard plonge à travers la baie vitrée sur le cimetière Montparnasse, où je cherche des yeux la tombe de Baudelaire, caillou blanc dans le jardin de pierre. A gauche le Luxembourg, ma jeunesse révolue que j'essaie de prolonger en faisant du surplace, comme si l'absence de déplacement géographique empêchait le mouvement du temps. Je ne suis plus jeune, je suis juste géostationnaire. Une cafétéria cafardeuse (le *Belvédère Café*) sert des gobelets de liquides chauds à des provinciaux fatigués. Pour accéder au toit, il faut encore affronter un escalier qui sent l'eau de Javel (souvenirs de piscine, de classes chahuteuses, de maillots de bain en éponge et de pieds qui puent). Je gravis les dernières marches en soufflant mais sur le mur mes efforts sont récompensés par des pochoirs indiquant l'altitude (« 201 m, 204 m, 207 m »). Une porte métallique s'ouvre sur le ciel. Le vent siffle dans les grillages. D'ici on peut voir les avions décoller d'Orly. Au centre du toit de béton, un rond blanc a été peint pour que les hélicoptères puissent immeublir. Si je voulais, je pourrais jeter des objets dans le vide sur les passants. On m'arrêterait pour vandalisme, ou tentative de meurtre, ou coups et blessures ayant entraîné la mort sans intention de la donner, ou schizophrénie dangereuse, ou hystérie inexplicable, ou agitation forcenée. Brume rose sur le Sacré-Cœur, très loin. Une affiche tente un calembour : « La Vue Parisienne ». Voici le mien : je m'appelle Frédéric Belvédère. Je redescends au *Ciel de Paris*. Un restaurant similaire existe à Berlin, au sommet de la TV-Turm d'Alexanderplatz, et en plus il tourne sur lui-même comme un disque. Dans les années 70, le monde moderne voulait absolument dîner dans les gratte-ciel, se nourrir dans la stratosphère,

121

c'était chic de manger très haut, j'ignore pourquoi. Dans l'étage de « visite panoramique »,
une salle de projection montre un vieux film
d'images aériennes de Paris sur fond de flûte
dépressive. La bande magnétique déraille. Des
gens en anorak déambulent et s'emmerdent.
Des amoureux se forcent à s'embrasser sur la
bouche malgré leur haleine. Un enfant bâille ; je
l'imite ; d'ailleurs c'est peut-être moi.

Et puis, instinctivement, sans raison parti-
culière, mon regard se tourne vers Denfert-
Rochereau, et c'est alors que je vois un ruban
humain composé de centaines de milliers
d'individus, un fleuve de cheveux amassés
autour de la place. La plus grande manifestation contre la guerre depuis cinquante ans ;
nous sommes le 15 février 2003. Hier, les Etats-
Unis se sont opposés à la France au Conseil de
sécurité des Nations unies. Le Président de
l'Amérique veut faire la guerre à l'Irak comme
son père. Le Président de la France n'est pas
d'accord. Les antiaméricains se déchaînent
contre les francophobes. Les deux côtés de
l'Atlantique s'insultent copieusement à la télévision. Au pied de ma tour, la manifestation
monstre s'étend de la place Denfert à la Bastille,
200 000 individus qui marchent dans le froid
sur le boulevard Saint-Michel, sous le ciel gelé
du boulevard Saint-Germain... Le même jour, il
y avait le même nombre de manifestants qui
disaient la même chose dans les rues de New

York. Je prends l'ascenseur pour les rejoindre. Suis-je munichois, lâche, antisémite et pétainiste comme l'écrit la presse américaine ? En me retournant vers le monolithe de vitres fumées sur lequel ricochent les rayons du soleil, je décide de débaptiser la tour Montparnasse. Par opposition aux Twin Towers, je l'appellerai Lonely Tower. Ce rectangle courbe, en forme d'amande crevassée aux deux extrémités, ce phare esseulé et ridicule surgit au milieu des restaurants de couscous et des vendeurs de merguez. Je croise de nombreux Maghrébins rue du Départ, devant un mur peint par Walt Disney Pictures pour vanter *le Livre de la Jungle 2*. L'ours Baloo danse avec Mowgli sur dix mètres de façade, dans le graillon des sheesh kebab. Les manifestants brandissent des pancartes : « STOP THE WAR ». Le film de Disney se déroule dans la jungle indienne colonisée par les Anglais. Mais il y a une morale dans le livre que l'on ne retrouve pas dans le dessin animé : « Il y a désormais, dans la jungle, quelque chose de plus que la loi de la jungle. » Kipling, reviens, ils sont devenus fous !

8 h 59

Oh Lord, le grand rouquin pète les plombs. Il se met à crier de toutes ses forces, on ne comprend rien de ce qu'il dit. Il transpire comme un bœuf. Pour éviter que les enfants flippent, je décide de réessayer le coup du parc d'attractions. Je les confie à Lourdes en clignant de l'œil pour qu'elle joue le jeu.

— Excusez-moi, Lourdes, je peux vous demander un service ? Voilà : mes enfants refusent de croire que nous participons à une attraction, ils ne connaissent pas le « Tower Inferno », enfin bref, ce serait gentil de me les surveiller une minute pendant que je vais reconnaître le chemin du toit avec Anthony, d'accord ? Les gars, vous restez sages, promis ?

— Promis.

— Et ne faites pas attention au monsieur qui crie, c'est juste un acteur qui joue très mal la comédie.

— Pourquoi tu t'appelles Lourdes ? demande David.

— Ta gueule, Dave ! dit Jerry.

— Les enfants, dit Lourdes, va falloir la mettre un peu en veilleuse parce que moi je travaille ici, et je peux vous dire que normalement cette montagne russe est interdite aux petits garçons de votre âge, car vous ne mesurez même pas la taille réglementaire, alors si j'étais vous, je la ramènerais pas trop, do I make myself clear ?

Anthony a pris le rouquin par l'épaule et lui parle très posément. Ils se sont accroupis dans le couloir vitré. Des colonnes de fumée nauséabonde longent les cages d'ascenseur comme du lierre noir.

— It's OK, it'll be OK. Don't worry, it's gonna be OK.

Il lui répète ça jusqu'à ce qu'il se calme. Le rouquin chiale d'angoisse ; ce sont les nerfs qui ont lâché. J'essaie de participer :

— Comment vous appelez-vous ?

— Jeffrey.

— Ecoutez, Jeffrey, on va se serrer les coudes. OK ? Vous en faites pas, ça va s'arranger. Gardez votre calme.

— OH MON DIEU, MON DIEU C'EST MA FAUTE J'AI ORGANISÉ CE PETIT DÉJ' JE NE VEUX PAS MOURIR PARDON EXCUSEZ-MOI OH MON DIEU JE SUIS RIDICULE PARDON PARDON J'AI PEUR OH SEIGNEUR AYEZ PITIÉ !

Je me retourne pour voir si mes mômes pètent aussi les plombs : mais non, ils tiennent le coup. Ils se bouchent les oreilles pour oublier Jeffrey qui crie : « I WANT OUT ! » C'est Lourdes qui leur a montré l'exemple. Par un

125

escalier encombré de tuyaux, Anthony me mène au 109ᵉ étage. Nous traversons des salles de machines immenses et multicolores, entre les turbines d'aération, les chaufferies et les rotatives des ascenseurs. Visiblement, tout le monde a eu la même idée que nous. D'ailleurs nous n'avons pas le choix : en bas c'est la fournaise, la certitude d'être cramé ou asphyxié. Notre unique espoir est de déguerpir par le toit. Une centaine de personnes vont nous rejoindre petit à petit, disséminées un peu partout, à la recherche de l'air perdu. Des groupes de gens qui se prennent la tête dans les mains, qui sont assis par terre ou debout, qui grimpent sur les tables pour respirer mieux, qui balancent une armoire métallique dans une vitre pour faire entrer l'oxygène (oui, ça marche aussi avec une armoire métallique). Des grappes de gens soudés entre eux, qui se soutiennent les uns les autres, se tiennent par la main, se consolent, toussent.

— Il y a un seul escalier qui conduise au toit, dit Anthony. Comme tous les vigiles, j'ai la clé.

Nous sommes devant une porte rouge sur laquelle est inscrit « EMERGENCY EXIT ». Cette porte, je ne sais pas encore combien je vais la détester.

A l'étage inférieur, Lourdes suit la conversation entre mes deux fils en tournant la tête comme la spectatrice d'un match de tennis entre les sœurs Williams.

— J'aurais préféré qu'on aille à l'école, dit David.

— Oh, non, c'est trop cool d'être ici, dit Jerry.

— Plus cool que la high school, dit David.

— Ouais, c'est ça, dit Jerry.

— N'empêche qu'il fait chaud, dit David.

— Tu l'as dit bouffi, dit Jerry. On se croirait dans un sauna.

— C'est quoi un sauna ? dit David.

— Un sauna, c'est comme une sorte de salle de bains où il fait très chaud, c'est pour faire transpirer, dit Lourdes.

— A quoi ça sert ? dit David.

— Il paraît que ça fait maigrir, dit Lourdes.

— Tu devrais y aller plus souvent, dit David.

— Ta gueule, dit Jerry. T'es pas drôle.

— Si, c'est drôle, regarde, Lourdes est morte de rire, alors ferme-la, dit David.

Effectivement, Lourdes est pliée en deux. Elle rit tellement qu'elle pleure. Elle sort un paquet de Kleenex pour sécher ses larmes.

— Tu crois qu'on va passer à la télé ? dit David.

— Evidemment, crétin, dit Jerry. On doit déjà être live sur toutes les chaînes.

— C'est géant, dit David.

— Trop mortel, dit Jerry.

— T'es con d'avoir fini la pelloche de ton appareil, dit David.

— M'en parle pas, je suis trop dégoûté, dit Jerry.

127

— Eh, tu saignes du nez, dit David.

— Oh merde, ça recommence, dit Jerry.

Et il penche la tête en arrière tout en comprimant sa narine avec la serviette de table. Lourdes lui tend un mouchoir en papier.

— Vous en faites pas, Lourdes, ça lui arrive tout le temps, dit David.

— Seulement quand je suis contrarié, dit Jerry.

— C'est ce que je disais : tout le temps, dit David.

9 h 00

D'autres témoignages ? On se croirait dans un roman apocalyptique de J.G. Ballard, sauf que c'est la réalité. Edmund McNally, directeur des technologies chez Fiduciary, appelle sa femme Liz pendant que le sol gronde. Il tousse beaucoup. Il lui énumère à la hâte ses polices d'assurance-vie et programmes de bonus professionnels. Il a juste le temps d'ajouter qu'elle et leurs enfants étaient tout pour lui, puis lui suggère d'annuler leur voyage en amoureux à Rome. A-t-il pris alors le temps de savourer son dernier café en regardant les gens tomber par la fenêtre ? Probablement pas, car il toussait trop. Au 92ᵉ étage, Damain Meehan téléphone à son frère Eugene, pompier dans le Bronx : « C'est très mauvais ici, s'écrie-t-il. Les ascenseurs sont fichus. » Peter Alderman, vendeur chez Bloomberg LP, adresse un mail à sa sœur à partir de son ordinateur portable ; il mentionne la fumée puis ajoute : « J'ai peur. » Je crois qu'à partir de 9 h 00, cette phrase résume le sentiment général. Après la surprise, l'étonnement, l'espoir, au bout d'un quart d'heure ne reste plus que la terreur, une crainte brute qui brouille le jugement et fait flageoler les jambes.

Ce matin, j'ai emmené ma fille à la tour Montparnasse. Ceux qui n'ont pas d'enfants de trois ans et demi peuvent passer directement à la minute suivante : ils ne pourront pas comprendre. Déjà, il a fallu la convaincre que c'était plus sympa d'aller à la tour Montparnasse que de monter sur le manège voisin. Finalement elle a visité les deux. Elle voulait à tout prix courir après les pigeons jusqu'à ce qu'ils s'envolent, escalader les plots de béton et jouer à la funambule sur les bords des escaliers. Première scène, crise de larmes, négociation, réconciliation. Une fois qu'elle a été lassée de marcher en sens inverse sur l'escalator, j'ai réussi à l'entraîner vers les ascenseurs. Elle a pleuré parce que je ne l'avais pas laissée appuyer sur le bouton du 56e étage. Elle a rigolé en sentant la poussée de la cabine, la pression qui monte dans les tympans. Au *Ciel de Paris*, elle a gambadé dans les jambes des maîtres d'hôtel en costume de nylon. Nous nous sommes attablés près des vitres. Je lui ai montré la Ville Lumière. Elle voulait garder sa doudoune. Deuxième scène, crise de larmes, négociation, réconciliation. Comme les enfants n'ont pas une vie passionnante, ils en font une vie passionnée. Tout est prétexte à drames, hystérie, cris, joie, éclats de rire, trépignements de rage. Il n'y a pas de différences entre la vie d'un enfant en bas âge et une pièce de Shakespeare. D'ailleurs, ma fille c'est Sarah Bernhardt. Elle passe du désespoir intégral à la félicité ultime en un clin d'œil. Un talent rare. La serveuse (qui commence à me connaître à force de me voir tous les matins) lui offre-t-elle des bonbons ? Bonheur parfait, yeux qui s'éblouissent, bisous envoyés en soufflant sur la paume. Le chocolat est trop chaud ? Fureur violente, sourcils froncés, moue boudeuse, lippe dégoûtée. Rien n'est anodin quand on découvre tout. La vie de ma fille est exacerbée. Elle chante « Une souris verte qui courait dans l'herbe » pour la trentième fois ce matin. Je n'en peux plus de cette comptine de merde. Au bout de quelques minutes d'immobilité contemplative devant Paris, Chloë se détourne de moi : elle préfère le chien de la table voisine. Elle va lui parler, d'abord craintive, puis familière en une minute. Elle lui montre la vue en expliquant :

— C'est haut. Et moi je suis crès crès petite.

Le cocker approuve. Pour fêter ça, elle veut faire un nœud avec ses oreilles. Je me lève pour aller la reprendre, m'excusant auprès des propriétaires du chien, qui n'ont rien remarqué.

— Elle est ravissante, votre fille !

— Merci mais attendez un peu, vous allez changer d'avis.

— Je VEUX rester avec le CHIEN !

Troisième scène, crise de larmes, négociation, réconciliation. Assourdis par le vacarme, les voisins de table changent effectivement d'opi-

131

nion. J'essaie d'acheter son silence en lui proposant un Carambar.

— Non pasque ça colle.

J'aimerais faire la même chose que ma fille de temps en temps. La prochaine fois qu'on me contrarie, que ce soit sur un plateau de télé ou dans n'importe quel comité de lecture, je me promets de fondre en larmes, de pousser des hurlements et de me rouler par terre. Je suis certain que cette méthode serait efficace en politique, par exemple. « Votez pour moi sinon je pleure très fort. » Voilà ce qu'on aurait dû faire avec Robert Hue !

Nous avons fini notre petit déjeuner sauf le chocolat (cette fois il était trop froid). Dans l'ascenseur qui redescendait, ma fille m'a souri en murmurant « je t'aime, papa ». Je l'ai prise dans mes bras. Je savais très bien qu'elle voulait juste se faire pardonner sa conduite insupportable au *Ciel de Paris*. Tant pis : j'ai accepté ce cadeau. Une fois, quand j'avais une rage de dents, j'ai consommé de la morphine à haute dose. C'était extraordinaire, mais moins planant que ce câlin, mon nez dans ses cheveux, blotti dans son shampooing à l'amande douce, envahi par la gratitude.

9 h 01

On peut faire ce chemin en apnée. Prendre sa respiration un bon coup, puis entrer dans la fumée, avancer avec les bras tendus devant soi, descendre les marches à l'aveuglette, tourner à droite après le bar, passer devant les ascenseurs, continuer à marcher tout droit jusqu'à la face Nord. Vocabulaire d'alpiniste : j'ai l'impression que nous sommes une expédition au sommet de l'Himalaya sans assistance respiratoire. En redescendant vite voir les garçons je m'en suis voulu de les avoir laissés une minute sans moi. Lourdes tenait entre ses mains un Kleenex taché de sang.

— Damn ! Ton hémorragie a repris ?

— C'est rien, p'pa, ça va s'arrêter en moins de deux...

— Lève le bras droit et comprime la narine. Ne penche pas la tête en arrière sinon ça coule dans la gorge sans s'arrêter. Merci Lourdes, ils ont été sages ?

— Bien sûr mais c'est pas parce que je suis noire qu'il faut me prendre pour leur nanny, OK ?

— Mais euh... non, pas du t...

133

— Est-ce qu'Anthony a trouvé le chemin du toit ?

— Oui. On va y aller dès que le nez de Jerry aura coagulé. J'espère que vous savez vous retenir de respirer pendant une minute.

Comment suis-je devenu un salaud ? Est-ce quand Mary est devenue moins bandante que les secrétaires d'Austin Maxi ? A quel moment ai-je dérapé ? Est-ce à la naissance de Jerry ou à celle de David ? Je crois que j'ai craqué le jour où j'ai vu dans le miroir de ma penderie que je m'habillais comme mon père. Tout s'était enclenché trop vite : le job, le mariage, les enfants. Je ne voulais plus de cette vie. Je ne voulais pas devenir mon père. Quand j'étais petit et qu'il mettait son chapeau de cow-boy dans les rues d'Austin, j'avais honte de lui comme Jerry a honte de moi quand je porte la casquette des Mets.

Paterfamilias est un métier à plein temps ; l'embêtant, c'est que je connais de moins en moins d'hommes qui soient prêts à l'assumer. On nous a trop montré d'images d'hommes libres, séduisants et poétiques, burinés par le plaisir, individus rock'n roll fuyant les responsabilités dans les bras de créatures à bikinis triangulaires. Comment voulez-vous avoir envie de ressembler à Lester Burnham quand la société idéalise Jim Morrison ?

J'aime bien regarder Candace danser. Elle monte le volume de la hi-fi et se déhanche, tourne sur elle-même pieds nus sur la moquette, ses cheveux s'envolent et elle me regarde droit dans les yeux en enlevant son tee-shirt... Je crois que c'est le plus beau spectacle que je connaisse : Candace en soutien-gorge « push-up » sur mon lit king-size, en train de danser ou de peindre ses ongles des pieds. Elle avait acheté un CD de « musique pour faire l'amour », une compilation « lounge », et chaque fois qu'elle la mettait, je savais que j'allais y passer... Elle me manque beaucoup plus depuis que je ne sais pas si je vais la revoir.

Allez les enfants, on suit papa en retenant sa respiration comme à la piscine, OK ? Un grand bol d'air aspiré par la bouche, puis foncer dans la fumée, avancer avec les bras tendus devant soi, passer devant les ascenseurs, tourner à gauche après le bar, monter les marches à l'aveuglette...

Au 110e étage, Lourdes m'a montré du doigt une affiche : « IT's HARD TO BE DOWN WHEN YOU'RE UP. » No comment.

Ce qui est positif dans le célibat, c'est qu'on n'est pas obligé de tousser pour couvrir le plouf quand on fait caca.

Un jour Mary m'a posé la main sur le visage, une main froide sur ma joue rose d'amoureux transi. Elle m'a dit que j'étais son amant, je lui ai répondu non je suis ton mari, c'est sorti comme ça. Je ne pensais pas qu'un jour j'aurais besoin de quelqu'un d'autre. Une larme a quitté mon œil gauche pour réchauffer sa main droite. J'ai su que j'aurais un enfant de cette femme. J'étais jeune, pur, peut-être manipulé mais intégralement optimiste. Sincère. Vivant. Con.

— Papa ! Une minute sans respirer, j'ai battu mon record !

Jerry s'est chronométré sur le trajet jusqu'à la sortie de secours du toit.

— Fastoche, hé ! J'en fais autant les doigts dans le nez !

— Menteur, je t'ai entendu tousser, ça veut dire que t'as respiré.

— Même pas vrai, c'est toi qu'as triché.

— Papa, t'es témoin que j'ai pas triché ?

— Du calme les mômes, on s'assoit là et on attend le retour d'Anthony qui va nous ouvrir cette satanée porte. D'accord ?

— D'accord mais j'ai pas triché

— Si.

— Non.

— Si.

— Non.

— Si.

J'ignorais qu'un jour je prendrais goût à leurs constantes engueulades, et que ces disputes sté- riles me serviraient de refuge de haute mon-

136

tagne. Nos enfants sont des saint-bernard.
Jeffrey était assis dans la position du lotus. Il
avait séché ses larmes, je lui ai souri. Chacun
son tour : maintenant, c'était moi qui avais
envie de pleurer. Disons qu'on se relayait.

9 h 02

Dans la tour Sud, celle qui n'était pas touchée, les consignes étaient claires : aucune évacuation. Pas question de recevoir sur la tête une poutre métallique en fusion, tombée de la tour Nord. Les « security guards » ont donc ordonné à tous ceux qui descendaient dans le Lobby de retourner dans leur bureau. Ceux qui sont remontés bien sagement n'ont pas été récompensés. Ainsi Stanley Praimnath. Il est remonté au 81e étage, à son bureau de la Fuji Bank. Et il a regardé par la fenêtre. Au début, c'était une flèche grise à l'horizon. Un avion qui passait derrière la statue de la Liberté. Qui grossissait doucement. Il eut le temps de voir la bande rouge sur le fuselage : « United Airlines ». Puis l'avion s'est redressé pour foncer droit sur lui. Il était 9 h 02. Sale journée, fucking sale journée.

En reprenant l'ascenseur de la tour Maine-Montparnasse, j'avais l'impression que mon ventre remontait dans ma bouche. J'aurais dû prendre l'escalier pour voir ce que ça fait de descendre 57 étages pendant que le ciel brûle.

Mais je suis écrivain, pas cascadeur, et ma fille se serait mise à pleurer au bout de cinq étages. Je le ferai demain matin.

A 9 h 02 minutes et 54 secondes, le vol United Airlines 175, autre Boeing 767, encore un Boston-Los Angeles, a basculé légèrement sur la gauche avant de pénétrer dans les étages 78 à 84 de la tour 2, causant un choc de magnitude 0, 7 d'une durée de 6 secondes. Il transportait 65 passagers dont 9 membres d'équipage, et volait plus vite que l'American Airlines numéro 11 (930 km/h). Des simulations informatiques ont montré qu'à cette vitesse, l'aluminium des ailes et du fuselage, comme l'acier des moteurs, ont traversé les colonnes de la tour presque sans ralentir. Les planchers en béton ont tranché l'avion comme une hache avant d'être pulvérisés en poussière. Certains experts affirment que les dommages causés dès cet instant à l'immeuble étaient tels que la tour Sud aurait dû s'effondrer immédiatement. C'est d'ailleurs elle qui s'écroulera la première, à 9 h 59.

« Un éclair argenté qui arrive du Sud, un oiseau paléolithique, une pointe de lance, un cimeterre qui étincelle sous le soleil matinal », écrira Russell Banks dans son journal. Pas mieux.

9 h 03

Nouveau coup de tonnerre, nouvel earthquake, nouvelle boule de feu.

Lourdes a reçu un SMS d'un service d'infos automatique, lui annonçant qu'un autre avion s'est encastré dans la tour voisine. Ainsi ce n'est pas un accident mais une attaque terroriste. Qui a fait le coup ? cela pourrait être tant de gens. Insensé le nombre d'individus qui haïssent l'Amérique. Y compris des Américains. Pourtant je ne déteste pas le reste du monde, moi. Je le trouve sale, vieux et compliqué, c'est tout. A vrai dire je m'en fous complètement. Inutile de l'attaquer : le reste du monde est déjà mort. Folie absurde... Jeffrey craque à nouveau, Anthony se charge de l'éloigner. Mes enfants sont sages, obéissants comme je ne les ai jamais vus. Mais ils ne peuvent s'empêcher de poser des questions gênantes.

— Papa, on va s'en aller d'ici quand ?

— Est-ce que Maman va venir nous chercher ?

— Même si c'était une attraction, elle durerait depuis trop longtemps, non ?

140

Cette fois, ça y était, toutes ces choses que je ne comprenais pas, que je ne voulais pas comprendre, actualités lointaines que je préférais éviter, chasser de mes pensées hors des journaux télévisés, ces malheurs tout d'un coup me concernaient, ces guerres revenaient me nuire ce matin, à moi et pas un autre, à mes enfants et pas ceux d'un autre, ces choses que j'ignorais, géographiquement si éloignées, s'imposaient comme les événements les plus importants de mon existence. Je ne voulais pas du droit d'ingérence dans les Etats des autres mais les drames du monde extérieur venaient d'exercer leur droit d'ingérence dans ma vie, je n'en avais rien à cirer des métèques et des mômes paumés, drogués, baisés, couverts de mouches à merde dégueulasses, mais ils venaient d'entrer dans mon immeuble, ils venaient tuer mes mômes à moi. Il faut que je vous explique quelque chose : j'ai été élevé dans la religion évangélique, épiscopalienne, méthodiste, des « Born Again Christians », qui ont 70 millions d'adeptes aux Etats-Unis, dont George Walker Bush – l'ancien gouverneur du Texas, actuellement logé au 1600 Pennsylvania Avenue. Notre credo, c'est que les Américains sont le Peuple Elu. L'Europe est notre Egypte, l'Atlantique c'est la mer Rouge, et l'Amérique c'est Israël, vous voyez le topo ? Washington = Jérusalem. La Terre Promise, c'est ici. « One Nation Under God ! » Les autres on s'en fout !

141

Tu n'en voulais pas dans ta vie ?
Ils feront partie de ta mort.

Lourdes s'est écroulée par terre, en miettes. Elle répète sans cesse le texte de son SMS d'actu : « *Breaking News : Un second avion vient de se crasher dans la tour Sud du World Trade Center* » et fait circuler son portable pour que chacun d'entre nous puisse vérifier le message sur son écran. Les gens réagissent tous de manière différente : la plupart poussent des « Fuck ! » de stupéfaction, certains ont besoin de s'asseoir pour prendre leur tête entre leurs mains. Anthony se défoule en donnant de violents coups de pied dans une cloison : il finit même par la transpercer ! Jeffrey pleure de plus belle, en bavant sur sa chemise rose. Et moi je suis accroupi et je serre très fort les têtes de mes bambins contre mon front pour qu'ils ne me voient pas baisser les bras.

— OK, Jerry, Dave, je vous l'avoue, ce n'est pas un jeu.

— C'est pas grave, papa. On le savait, t'en fais pas.

— Si c'est grave, Jerry. Ce n'est pas un jeu. Vous comprenez ? Tout ça est vrai !

— T'inquiète, on a pigé depuis longtemps, dit David entre deux quintes de toux.

— Oh my goodness. Les garçons, écoutez-moi bien. Ce n'est pas un jeu, mais on va le gagner quand même, ensemble, d'ac' ?

— Mais pourquoi les avions rentrent dans les tours ? Ils sont fous ou quoi ?

142

Devant le visage interloqué de David, je ne peux plus retenir mes larmes. Je deviens Jeffrey. Je tombe à genoux. Je serre les dents, j'essuie mes yeux, je plie, je suis courbe.

— Putain, comment des gens ont-ils pu faire ça à d'autres gens ?

— Faut pas dire « putain », papa.

Jerry détourne le regard, il a honte de me voir comme ça.

Cela faisait plus d'une demi-heure que nous étions au sommet d'un des plus grands gratte-ciel du monde. Pourtant ce n'était que maintenant que je ressentais vraiment le vertige.

9 h 04

Du *Ciel de Paris*, je contemple la capitale de la France, et ses vieux monuments glorieux : tout ce qu'Oncle Sam nous a laissé, c'est notre âge. Les Français sont si fiers de leur ancienneté, comme des employés modèles comptant leurs points de retraite. Nous sommes lourds du poids des siècles. La France, l'Egypte, l'Angleterre, l'Espagne, le Maroc, la Hollande, le Portugal, la Turquie, l'Arabie ont gouverné à tour de rôle la planète et colonisé la Terre. Tout ça, merci, on connaît : bon débarras, ça n'attire que des emmerdes. Les Etats-Unis, eux, avec leur enthousiasme juvénile, ont encore envie de voir ce que cela fait d'être les patrons du globe. Il y a longtemps que les vieilles nations y ont renoncé mais les Américains sont attendrissants d'amnésie : après tout, eux aussi furent pourtant colonisés, ils devraient se souvenir à quel point cela les énervait d'être dominés par une puissance étrangère.

L'Amérique pousse les opprimés jusque dans leurs derniers retranchements, jusqu'au moment où, comme le susurrait Brigitte Bardot dans *Bon-*

nie & Clyde de Gainsbourg : « La seule solution c'était mourir. » Nous vivons une époque étrange ; la guerre s'est déplacée. Le champ de bataille est médiatique : dans ce nouveau conflit, le Bien et le Mal sont difficiles à départager. Difficile de savoir qui sont les bons et les méchants : ils changent de camp quand on change de chaîne. La télévision rend le monde jaloux. Avant, les pauvres, les colonisés, les opprimés ne contemplaient pas la richesse tous les soirs sur un écran, dans leurs bidonvilles. Ils ignoraient que certains pays possédaient tout tandis qu'eux ramaient pour rien. En France, la Révolution aurait eu lieu beaucoup plus tôt si les serfs avaient eu un petit écran pour regarder le luxe des Rois et Reines. Partout dans le monde, aujourd'hui, des pays sales balancent entre l'admiration et le rejet, la fascination et le dégoût envers les pays propres, dont ils captent le mode de vie par satellite sur des décodeurs pirates, avec un presse-purée en guise d'antenne parabolique. Ce phénomène est récent : on l'appelle la mondialisation mais son vrai nom est télévision. La mondialisation est économique, audiovisuelle, cinématographique et publicitaire, mais le reste ne suit pas : ni le politique, ni le social.

Bon, j'arrête, n'étant pas compétent pour tout analyser. Si vous voulez démêler le nœud géopolitique du terrorisme, sonnez aux guichets Spengler, Huntington, Baudrillard, Adler, Fukuyama, Revel... Mais je ne peux pas vous garantir que les choses deviendront immédiatement plus limpides.

La vue est splendide ce matin. La vue dépend des jours. Aujourd'hui, à 9 h 04, la tour Eiffel brille à ma gauche, cette charpente métallique construite par le même Gustave qui fit tenir debout la statue de la Liberté. A droite les Invalides, où repose Napoléon Bonaparte, l'homme qui a vendu la Louisiane aux Américains pour 15 millions de dollars (on dira ce qu'on voudra : l'Empereur était meilleur en affaires que les Indiens Algonquins qui cédèrent Manhattan à Peter Minuit, un huguenot d'origine française, contre 24 bucks). Entre les deux, l'Arc de Triomphe, posé sur la place de l'Etoile, plus loin dans le blanc : le Triomphe dans le lointain. Tous ces blocs de pierre si fragiles... J'ai fait ce que je m'étais promis : je suis descendu à pied par l'escalier. 56 étages. Au début, le plus frappant c'est la monotonie, le tournis. Puis très vite monte l'angoisse, la claustrophobie. Seul dans cette cage d'escalier, j'essaie d'imaginer ce que furent les minutes de ceux qui descendaient par centaines. Quasiment tous ceux qui travaillaient dans les étages inférieurs à ceux où les avions ont pénétré en sont sortis indemnes. Ils n'ont pas paniqué parce qu'ils ignoraient ce que je sais. Ils avaient confiance dans la solidité des immeubles. Ils ont pris leur temps. Ils ont suivi les instructions de pompiers morts dans les minutes qui ont suivi. Ils sont sortis dans le calme, puis, quand ils se sont retournés, ils ont vu la solidité des immeubles devenir un tas de cailloux.

Ce qui est bien, quand on redescend de la tour Montparnasse sans sa fille, c'est que la rue de la Gaîté n'est pas loin. On peut ainsi se promener entre les sex-shops, les théâtres et les restaurants japonais. Le truc gênant, c'est quand des promeneurs me reconnaissent et me demandent un autographe alors que je sors d'une cabine de peep-show. Je trouve gênant de serrer des mains alors que je viens d'essuyer les miennes avec un Kleenex. C'est bête mais je n'arrive pas à me retenir de rougir : ce satané catholicisme me colle vraiment à la peau.

En remontant le boulevard Edgar-Quinet, je passe devant un bar à hôtesses (*Le Monocle Elle et Lui*, drôle de nom), une célèbre boîte à partouzes (le *2 + 2*) et de nombreux établissements de pompes funèbres. Juste après, je longe les murs du cimetière Montparnasse, où reposent Sartre, Beauvoir, Duras, Cioran, Beckett, Ionesco... Montparnasse est un quartier de sexe, de littérature et de mort ; c'est sans doute la raison pour laquelle les Américains l'ont tant aimé. J'entre dans l'enceinte du cimetière et dirige mes pas vers la tombe de Charles Baudelaire, ancien élève du lycée Louis-le-Grand. « Mort à 46 ans. » Sa petite sépulture blanche fait piètre figure à côté du mausolée de l'illustre Charles Sapey, « sénateur, grand officier de la

147

Légion d'honneur, ancien député de l'Isère, décédé le 5 mai 1857 ». Le poète repose avec son beau-père le général Aupick et sa mère deux fois veuve. De l'autre côté du cimetière, un monument étrange a été érigé en l'honneur de Baudelaire : il s'agit du gisant enrubanné de l'artiste, comme une momie égyptienne, sur lequel se penche le « génie du mal » sculpté dans la pierre, accoudé à une balustrade à la façon du Penseur de Rodin. Courbé, ombrageux, avec ses gros biceps, le génie du mal trône face à la tour Montparnasse, et semble la défier avec son menton en galoche. Je dégaine mon polaroïd.

LE GÉNIE DU MAL...

148

Je ressors, remonte le boulevard et aboutis à la fondation Cartier, où se tient une grande exposition sur les accidents organisée par Paul Virilio. Je descends un escalier de béton (encore!) pour me retrouver dans un sous-sol envahi de grondements mécaniques et sourds.

9 h 05

Au 109ᵉ étage, sous les combles, au Grenier du Monde, à travers le mur de fumée, je contemple la foule qui nous fuit. L'avion est entré par la face Nord, et pourtant c'est de ce côté qu'il y a le moins de fumée. Je fais la courte échelle aux enfants en quête de l'air pur raréfié. C'est la ruée vers l'air. Si j'avais su, j'aurais emporté des bombes d'oxygène, ou des masques à gaz. De toute façon, en Occident, tout le monde se baladera bientôt avec un masque à gaz en bandoulière.

Anthony est de retour avec un Jeffrey groggy. Il lui a fait prendre deux Xanax. Il fait une drôle de tête, comme un punching-ball dégonflé. Anthony a l'air encore plus triste que Jeffrey. Lourdes fond en larmes discrètement. Je lui prends la main, la tapote comme un petit chat que j'ai bien connu. Petit à petit, les masques tombent comme les gens. La chaleur se rapproche. La peur emménage en nous comme un virus contagieux. Il suffit que je regarde les yeux désespérés de Jeffrey pour être contaminé. Je me retiens de regarder mes deux fils pour éviter qu'ils voient mes pupilles résignées. Personne ne doit deviner que je suis en train de perdre confiance. Nous sommes assis par terre devant la seule issue : une épaisse porte rouge blindée de métal anti-incendie sur laquelle est inscrite la mention « EMERGENCY EXIT ». Autour de nous, les gémissements se font pressants. Des bandes d'êtres hagards s'approchent en titubant comme des zombies dubitatifs. L'espoir est la chose au monde la plus douloureuse. Je ne supporterai pas une déception de plus.

Putain de merde, que ferait Bruce Willis à ma place ? Le téléphone de Jeffrey réussit à passer : il appelle son petit ami. J'entends d'ici les sanglots de son interlocuteur. Jeffrey est gay mais porte une alliance. Quelle connerie, le mariage. Bon sang, il ne faut pas se laisser gagner par l'émotion. Je dois bomber le torse devant les enfants. Jerry ne saigne plus du nez, c'est déjà ça. Je perds la boule, la haine me ronge devant un tel acte de barbarie. Comment ont-ils pu nous faire ça ? J'ai grandi pendant la guerre froide, tout était si simple alors... L'Amérique avait un seul ennemi : la Russie. C'était pratique d'avoir un gros ennemi bien défini, ça donnait au reste du monde le choix. Préférezvous les supermarchés pleins ou vides ? Voulezvous avoir le droit de critiquer ou le devoir de fermer votre gueule ? Aujourd'hui privée de son contre-exemple, l'Amérique est devenue le

Maître à abattre. L'Amérique est devenue son propre ennemi.

J'ignore pourquoi je pense à la Genèse, peut-être une réminiscence de mon éducation religieuse : chez les méthodistes, on se réfère beaucoup au Livre Premier de la Bible, certains tarés « créationnistes » continuent même de nier le darwinisme. Le calvinisme puritain de mes parents s'accrochait à l'Ancien Testament de manière presque intégriste. Selon eux, Adam et Eve avaient vraiment existé... Et la pomme, le serpent, Caïn et Abel, le Déluge, l'arche de Noé, etc... Et la tour de Babel ? Je me demande si je ne suis pas dedans. On se souvient de ce récit qui se retrouve dans de nombreux textes mésopotamiens : les hommes apprennent à fabriquer des matériaux et décident de construire une tour qui monterait jusqu'aux cieux. Ils veulent « se faire un nom afin de ne pas être dispersés sur toute la surface de la terre ». Dieu désapprouve leur décision : l'homme ne doit pas être orgueilleux, l'homme ne doit pas se prendre pour Dieu. On aurait pu penser que, pour le punir, Dieu détruirait la tour de Babel, dans un accès de fureur, mais pas du tout. Le mot Babel désigne Babylone mais évoque la parole (d'où le verbe « babiller »). Car Dieu va se venger d'une façon bien plus tordue et cruelle, en empêchant les hommes d'utiliser les mêmes mots pour désigner les choses. Dieu décide de brouiller les langues terrestres. Dieu choisit de disperser le langage : les choses seront désormais désignées par des mots différents, le contact entre la réalité et la parole se perd, les hommes cessent de se comprendre pour avoir bâti cette tour prétentieuse. La punition divine consiste à empêcher les hommes de communiquer entre eux. La tour de Babel était la première tentative de mondialisation. Si, comme le font des millions d'Américains, on prend la Genèse au pied de la lettre, alors Dieu est contre la mondialisation. Le judéo-christianisme repose sur l'idée qu'il faut des traducteurs simultanés, des langues étrangères les unes aux autres, qu'il y aura du pain sur la planche avant de pouvoir transmettre les Ecritures, que la race humaine est divisée en idiomes exotiques et babils interlopes. Dieu est contre New York.

Genèse, XI, 5-8 :

« Or le Seigneur descendit pour voir la ville et la tour que bâtissaient les enfants d'Adam. Et il dit : Ils ne sont tous maintenant qu'un peuple, et ils ont tous le même langage; et ayant commencé à faire cet ouvrage, ils ne quitteront point leur dessein qu'ils ne l'aient achevé entièrement. Venez donc, descendons en ce lieu, et confondons-y tellement leur langage, qu'ils ne s'entendent plus les uns les autres. C'est en cette manière que le Seigneur les dispersa de ce lieu dans tous les pays du monde, et qu'ils cessèrent de bâtir cette ville. »

9 h 06

A 9 h 06, Glen Vogt, le « General Manager » du *Windows on the World*, ne se trouvait pas (heureusement pour lui) sur son lieu de travail. Vingt minutes après l'entrée de l'avion, il reçoit un coup de fil de son assistante, Christine Olender, à son domicile. Ce n'est pas lui qui décroche mais son épouse car Glen est déjà à ce moment-là dans la rue, en bas du World Trade Center, en train d'attraper un torticolis, effaré par le désastre. Mademoiselle Olender explique à madame Vogt qu'ils n'ont aucune consigne sur la manière de sortir de là. « Les plafonds s'écroulent et les planchers fondent », ajoute-t-elle. Au moins 41 personnes dans le restaurant ont réussi à joindre quelqu'un à l'extérieur du building.

Ce matin-là, trois torches brûlaient dans la Nouvelle-Amsterdam : la flamme de la Statue de la Liberté, celle de la tour Nord, celle de la tour Sud.

Il existe un autre témoignage en provenance du *Windows on the World* : celui d'Ivhan Luyis

154

Carpio, dans un appel à son cousin. « Je ne peux aller nulle part parce qu'ils nous disent de ne pas bouger. Je dois attendre les pompiers. » Il est plausible qu'une bonne partie des clients du restaurant ont suivi docilement les consignes d'immobilité, tout en luttant pour trouver de l'air, brisant les vitres, grimpant sur les tables pour ne pas brûler. Mais on dispose aussi de nombreuses traces d'appels au 911 en provenance du toit, qui semblent attester d'une désobéissance d'une partie de la clientèle, dans une tentative désespérée pour s'évader par les airs.

Est-ce qu'un être humain peut fondre ?

Quelqu'un d'autre a résumé la situation avec beaucoup de lucidité : « Nous sommes prisonniers », a dit Howard Kane à son épouse Laurie.

Ce que personne ne dit : tout le monde vomissait.

Même si j'allais très très loin dans l'horreur, mon livre serait toujours à 410 mètres au-dessous de la vérité.

Julien Schnabel a dit que les sauteurs faisaient en s'écrasant un bruit de melons qui explosent.

9 h 07

— Il y a un problème.

Anthony s'acharne sur son mobile phone. Anthony a un problème. C'est ce truc qui le turlupinait depuis tout à l'heure et qu'il n'osait pas nous dire. Qui lui donne cette tristesse insondable au fond des yeux.

— Quoi? C'est quoi le problème?

— Ma clé ne suffit pas à ouvrir la porte. Il faut aussi que le Security Staff appuie sur un bouton en bas, dans leur poste. Et je n'arrive pas à les joindre. Le portable ne passe pas et les canaux internes sont coupés...

— Spare me the bullshit! (Ce qui se traduit, assez élégamment, par : « Epargne-moi la merde de taureau. » J'aurais aussi pu dire « Cut the crap », mais c'eût été moins châtié.) Elles sont où, les équipes de sécurité?

— Le poste de commande se situe au 22e étage, et ne répond plus. Bon sang, si l'Operation Control Center a évacué, je ne peux rien faire. Il faut qu'ils débloquent le verrou avec leur buzzer, sans quoi on est coincés ici. Et ça ne me fait pas plus plaisir qu'à vous.

Jeffrey sort de sa torpeur :

156

— Tant pis pour ce buzzer de merde! On va l'enfoncer cette porte, bordel!

Anthony aimerait être aussi optimiste que lui.

— La porte est sécurisée, impossible à ouvrir, même avec une perceuse. Et on n'a pas de perceuse.

— PUTAIN DE MERDE MAIS COMMENT ON VA SORTIR D'ICI?!

Jeffrey a ramassé une machine à relier, un truc long et lourd, en fonte, et commence à s'en servir comme d'un marteau sur la poignée de la porte. Il s'acharne sur la serrure en tapant dessus comme un sourd. Anthony et moi avons reculé pour ne pas avoir le crâne enfoncé par cette masse qu'il mouline avec ses bras musclés par des séances régulières de gym dans l'East Village.

Anthony secoue la tête. Je m'aperçois que je hais cet homme et que j'admire bien plus Jeffrey. Ses collègues comptent sur lui et il ne veut pas les laisser tomber. Le fatalisme me dégoûte, je préfère l'énergie du désespoir, la violence de la nature, l'instinct de survie. Je ne m'avouerai vaincu que lorsque je me serai démis les deux épaules contre cette porte. Je veux transpirer, tout essayer, continuer d'y croire. Sous les coups de massue de Jeffrey, la poignée finit par céder, mais la porte reste hermétiquement close. Il se retourne vers nous, les bras ballants, mais sa désolation n'inspire que le respect.

J'espère que Jerry et David n'ont rien entendu. Ils sont debout sur le rebord d'un vasistas avec Lourdes. Ils n'ont plus peur du vide depuis qu'ils étouffent. La serviette de Jerry est tachée de sang comme son tee-shirt. « C'est impressionnant mais pas grave, il saigne souvent du nez » ; je me répète cette phrase pour m'en convaincre.

Anthony se recroqueville sur son téléphone portable, appuyant sans interruption sur la touche verte. Il faut joindre le Security Staff du 22e étage, ou à défaut les flics. J'entends les hélicos policiers de l'autre côté de cette porte. Je refuse de mourir cramé simplement parce qu'une issue de secours empêche de nous secourir. Nine-One-One. Nine-One-One. S.O.S. S.O.S. Comme à la fin de *Johnny got his gun*. Save Our Souls.

J'ai rejoint les enfants pour inspirer un peu d'air de l'extérieur. Juchés sur les épaules de Lourdes, ils répètent des prières qu'elle récite à haute voix. Autrefois on installait des gargouilles en haut des immeubles pour les protéger, comme sur le Chrysler Building. Des sculptures représentant des dragons, des monstres, des démons, comme en haut des tours de Notre-Dame-de-Paris, destinées à effrayer les diables et combattre les envahisseurs. Mes enfants, petites gargouilles blondinettes tendues au-dessus du vide, vont-ils suffire à repousser les mauvais esprits ? Pourquoi les architectes ont-ils cessé de prendre les gratte-ciel pour des cathédrales ? S'ils mettaient des gargouilles en haut des tours, il y avait bien une raison. Pourquoi, sinon... en prévision de ce qui vient de nous arriver ? Parce qu'ils savaient qu'un jour la menace viendrait des airs. Dans ces instants d'effroi, la prière est spontanée. La religion remonte en nous. Dans les minutes qui viennent, le World Trade Center, temple de l'athéisme et du lucre international, va progressivement se transformer en église improvisée.

9 h 08

Dans *la Plaisanterie* de Milan Kundera, un des personnages pose cette question : « Vous pensez que les destructions peuvent être belles ? » Je me déplace comme un somnambule, assommé par l'exposition « Ce qui arrive » conçue par le philosophe et urbaniste Paul Virilio en collaboration avec l'agence France-Presse et l'Institut national de l'audiovisuel, du 29 novembre 2002 au 30 mars 2003. Aux murs de la fondation Cartier sont accrochées des photographies sépia d'un accident de train ayant eu lieu à la gare Montparnasse le 22 octobre 1895 : une locomotive à vapeur avait traversé la façade du premier étage avant de chuter sur le pavé de la place. Un attroupement d'hommes portant chapeau melon entoure la carcasse écrasée. L'installation consiste en une succession de salles obscures et bruyantes, où sont projetées des vidéos de désastres. Omniprésence de la fumée et des équipes de secours communiquant par talkies-walkies (je remarque que les cris de panique font plus chic en anglais, donnant l'impression désagréable de regarder une fiction). Sur un grand écran apparaissent les images des pelleteuses de Ground Zero (une vidéo numérique de Tony Oursler de dix minutes diffusée en boucle) : une immense colonne de fumée blanche surplombe un gigantesque amas de ferraille ; quelques humains minuscules déambulent autour de grues qui ressemblent à des sauterelles impuissantes. A l'arrière-plan, les quelques panneaux de béton restés debout du World Trade Center forment un dérisoire rempart. Le plus frappant est encore la boue. L'immeuble de béton et de fer s'est mué en motte boueuse. La propreté artificielle est devenue saleté naturelle. Les tours lisses et étincelantes se réduisent à un répugnant désordre chaotique. Je comprends enfin ce que voulait dire le sculpteur César en écrabouillant des voitures. Les bulldozers aimeraient ranger ce fouillis. Retrouver la pureté du verre, la perfection du passé. Impossible de ne pas avoir la gorge nouée en scrutant pareil carnage. Je n'arrive toutefois pas à me débarrasser d'un sentiment de malaise, le même qu'en écrivant ce livre : a-t-on le droit ? Est-il normal d'être à ce point fasciné par la destruction ? La question de Kundera résonne étrangement au milieu de ces catastrophes. Les rues de New York sont blanches, couvertes de papiers et de poussière comme s'il avait neigé ; au milieu un bébé noir dort dans sa poussette. L'exposition de Virilio a fait scandale lors de son inauguration. N'est-il pas trop tôt pour esthétiser une telle désolation ? Certes, l'art n'est pas obligatoire et personne n'est obligé de visiter une exposition, ni de lire un livre. Tout de même, « Ce qui arrive » accumule les catastrophes comme on collectionne des trophées : images de pollution au mercure à Minamata, Japon, 1973 ; fuite de dioxine à l'usine Icmesa, Seveso, Italie, 1976 ; crash d'avion à Ténérife, Espagne, 1977 ; naufrage du pétrolier *Amoco-Cadiz*, Finistère, 1978. Certaines personnes s'essuient les yeux, ou se mouchent, ou détournent le regard, refusant d'affronter les images. Je les comprends. Pourtant il s'agit de notre monde et, pour le moment, nous ne pouvons pas vivre ailleurs. Fuite de gaz radioactif, Three Mile Island, Pennsylvanie, 1979. Fuite de gaz toxique de l'usine Union Carbide, Bhopal, Inde, 1979. Explosion de la navette *Challenger*, Cap Canaveral, Floride, 1986. Le parti pris de Virilio a pu choquer : mêler les catastrophes industrielles aux attentats terroristes. Explosion d'un réacteur à la centrale nucléaire de Tchernobyl, Ukraine, 1986. Naufrage de l'*Exxon Valdez*, 1989. Attentat au gaz sarin dans le métro de Tokyo, Japon, 1995. Y ajouter des désastres naturels comme la tempête française de 1999, les incendies d'Australie en 1997, le tremblement de terre de Kobe, Japon, 1995. Avec une musique de film dramatique par-dessus. Je flâne entre les monstruosités. J'aimerais m'en laver les mains, j'aimerais croire que je ne suis pas complice de telles horreurs. Pourtant, comme tout être humain, à mon échelle microscopique, je suis impliqué. La phrase de Freud

162

affichée dans l'entrée : « L'accumulation met fin à l'impression de hasard », cette sentence énigmatique datant de 1914-1915 semble répondre à la question de David un peu plus tôt :
— C'est quoi une conincidance ?

Plus la science progresse, plus les accidents sont violents, plus les destructions sont belles. A la fin de l'exposition, Virilio a sans doute poussé trop loin la provocation en projetant la retransmission télévisée d'un extraordinaire feu d'artifice pyrotechnique sur Shanghai : il ose établir un rapport entre l'horreur réelle et la beauté artistique. Cette expo m'a laissé un goût amer. J'en sors en culpabilisant encore plus qu'avant. L'effondrement des Twin Towers peut-il être mis sur le même plan qu'un banal feu d'artifice, fût-il le plus grandiose du monde ? Oh la belle flamme, oh la belle bleue, oh les jolis corps qui flambent ? Vais-je pouvoir me regarder dans la glace après avoir publié un roman pareil ? Cela me donne envie de gerber mon petit déjeuner du *Ciel de Paris*, mais je suis forcé d'admettre que mon œil prend goût à l'horrible. J'aime cette fumée énorme qui s'échappe des deux tours sur grand écran, projetée en temps réel, ce panache blanc dans le bleu du ciel, comme une écharpe de soie, suspendue entre la terre et la mer. Je ne l'aime pas seulement pour sa splendeur éthérée mais parce que je sais ce qu'elle signifie d'apocalyptique, ce qu'elle contient de violence et d'épouvante. Virilio m'oblige à faire face à la part de mon humanité qui n'est pas humaniste.

9 h 09

La méthode de papa contre la trouille consiste à parler, parler.

— Dès qu'on sera sortis d'ici par hélico, je vous emmène chez FAO Schwarz et là je vous offre tout les jouets que vous voulez. La grande razzia.

— On ira boire un Dr Pepper ?

— D'accord. Vous savez que votre arrière-arrière-grand-père avait failli investir dans The Coca-Cola Company ? Je vous ai pas déjà raconté cette histoire ? En ce temps-là, notre famille vivait à Atlanta. Un jour, un petit pharmacien de la ville est venu nous rendre visite : il cherchait de l'argent pour lancer une nouvelle lotion qu'il venait de mettre au point. Comme nous faisions partie des riches patriciens de la ville, il a naturellement proposé à votre ancêtre de partager les bénéfices. Chez les Yorston, cette histoire est devenue une bonne blague : le petit pharmacien fut même reçu à dîner dans notre Mansion. Il fit goûter à toute la famille son produit bizarre à base de feuilles de coca. Tout le monde le trouva dégoûtant, imbuvable. « En plus la couleur est répugnante ! » « Yuck !

ça ne marchera jamais ! » Le pharmacien s'est défendu en arguant que sa formule aidait à la digestion et contenait des vitamines. Votre aïeul a éclaté de rire en s'écriant que « c'était bien la première fois qu'on lui demandait d'investir dans un laxatif ». Et l'inventeur du Coca-Cola est reparti sans un sou. Durant des années, cette histoire a fait rigoler toute la famille. Et puis un jour, elle n'a plus fait rigoler personne : si nous avions aidé le petit pharmacien, aujourd'hui nous serions en haut du Top 100 du magazine *Forbes*...

Ça doit être la trentième fois que papa nous raconte cette histoire mais je m'en lasse pas. Il a l'air si content quand on l'écoute, Jerry et moi. J'aime bien qu'on ait failli être riche. Chaque fois que je bois une canette de Coca, je pense que je pourrais être le proprio. Mais faut pas leur en vouloir, aux ancêtres. J'ai appris des trucs à l'école. Ils préféraient leurs plantations d'esclaves qui cueillaient le coton. Ils ne pouvaient pas savoir qu'ils seraient ruinés par la guerre contre les yankees, et puis qu'après ils trouveraient le pétrole. En fait, c'étaient des gros nuls mais un coup ils avaient de la veine, un coup pas de bol, ça dépendait des jours. Un peu comme nous aujourd'hui. Au début, je me suis dit : super, on sèche l'école, on fiche le camp à New York, on bouffe des super-pancakes, papa nous laisse jouer avec le bouton de l'ascenseur qui s'allume en faisant ding, c'était cool. Mais maintenant ça commence à sentir mauvais avec l'incendie, Jerry qui saigne du nez et moi qui tousse tout le temps, ça devient lourd. Lourdes est bien sympa avec nous mais elle chiale tout le temps, c'est trop cafard. Anthony est cool, Jeffrey plane à cinq miles, il passe son temps à retourner s'occuper de son groupe puis à revenir voir si les mobiles ont réussi à passer. Ils sont sympas mais ça change rien à ce foutoir. Il serait peut-être temps que p'pa mette en route ses superpouvoirs inconscients qui se déclenchent qu'en cas de mégadanger. Je pense qu'il va réaliser sa force dans une poignée de secondes ; comme Clark Kent, il faut juste lui laisser le temps de mettre sa tenue de super-héros. Pour l'instant, il pré-fère parler de ses ancêtres qui ont loupé l'affaire du siècle mais on s'en balance pas mal. Ah la vache, j'ai horreur de ça dans les comics : faut toujours attendre un paquet de temps avant que le héros se réveille pour sauver les victimes coincées dans l'immeuble en feu. C'est gonflant mais c'est toujours pareil. Si le héros arrivait au début, il n'y aurait pas de suspense. Même topo dans les mangas à la télé. Les mecs qui font les cartoons, ils le savent : ce qu'il faut, c'est que les jeunes téléspectateurs attendent. Alors on attend. De toute manière, on ne fait que ça, nous, les enfants. On attend d'être vieux pour pouvoir bouffer des M&M's autant qu'on veut et aller tout le temps aux Studios Universal sans avoir à supplier les parents. Pour passer le temps, je fais croire à papa que son histoire m'intéresse.

— Dis papa, sans blaguer, c'est vrai cette histoire qu'on a failli être la famille Coca-Cola ?

Et papa est tout content, il ne pleure plus, c'est génial de le voir sourire, « eh oui David tu te rends compte ? », et Jerry hausse les épaules vu qu'il connaît aussi l'histoire par cœur, il comprend pas pourquoi je fais semblant de l'entendre pour la première fois, alors que c'est pourtant pas sorcier : faut remonter le moral de papa, sinon il sera pas assez en forme pour se servir de ses gigapouvoirs.

La Closerie des Lilas (1804), *Le Dôme* (1897), *La Rotonde* (1911), *Le Sélect* (1925), *La Coupole* (1927). La Génération Perdue savait où se retrouver : à Montparnasse. Je titube en pèlerinage devant les bars énumérés par Hemingway dans *Paris est une fête* : grâce à « Papa », écrire est toujours une bonne excuse pour se pinter la gueule tout seul, surtout quand on vient de s'engueuler avec sa petite amie. Si je commande un vermouth-cassis à la *Closerie*, c'est uniquement par conscience profession-nelle. Qu'est-ce qui prenait à des génies de boire une horreur pareille ? Je passe devant le 27, rue de Fleurus, à deux minutes de chez moi, où vivaient Gertrude Stein et Alice Babette Toklas. A ma grande stupéfaction, une plaque rappelle l'importance de cet appartement mythique où des Gauguin et des Miró étaient accrochés aux murs et où fut immortalisée la fameuse phrase du barman du *Sélect* : « Vous êtes tous une généra-tion perdue. » Gertrude Stein, l'Américaine qui présenta Picasso à Matisse, vivait à Paris depuis 1902, dans un rez-de-chaussée donnant sur un jardin intérieur. C'est un quartier où les Russes avaient précédé les Américains. Hemingway y est venu pour copier Modigliani, Soutine, Chagall, etc., pistonné par Sherwood Anderson. Trotski et Lénine y avaient préparé la Révolution. Pourquoi, au moment de se tirer une balle dans le crâne, Hemingway décide-t-il d'y revenir par la pensée ? Il a cinquante-huit ans en 1957, quand il entame la rédaction de *A Moveable Feast*. Trois ans plus tôt, il a reçu le prix Nobel de littérature. Quatre ans plus tard, il va se tuer avec un fusil de chasse. Ces quatre dernières années, il décide de les passer dans cette machine à remonter le temps qui s'appelle littérature. Il sera physiquement à Ketchum (Idaho), puis en Espagne et à Cuba. Mais mentalement, toute sa fin de vie se déroule à Paris dans les années 1921-1926, avec sa première femme, Hadley Richardson. Il refuse d'avoir soixante ans : il écrit pour en avoir à nouveau vingt-cinq, redevenir un jeune inconnu, pauvre et amoureux, qui rencontre Scott Fitzgerald ivre mort en avril 1925 au *Dingo Bar* de la rue Delambre (devenu *L'Auberge de Venise*), où je gribouille ceci, soixante-dix-huit ans plus tard, en buvant un Long Island Ice Tea (dont il a inventé la recette : tous les alcools blancs dans un verre + du Coca-Cola et de la glace). Au *Dingo Bar*, on croisait Isadora Duncan, Tristan Tzara (qui repose au cimetière Montparnasse), Man Ray... Je lève mon verre aux grands artistes qui hantent ces murs de bois parfumés au cigarillo, au bourbon et au désespoir.

169

Ce n'est pas un hasard si Pompidou a fait construire la réplique miniaturisée du World Trade Center à Montparnasse : c'est le quartier dont l'âme est importée d'outre-Atlantique. Hemingway voulait revenir sur ses pas ; je le fais à sa place. Au 42, rue du Montparnasse, le *Falstaff* est toujours là. Mais le bordel du coin a disparu : le *Sphinx*, 31, boulevard Edgar-Quinet, avec sa suite égyptienne où Henry Miller dépensait l'argent qu'il n'avait pas. C'est maintenant une agence de la Banque Populaire avec un distributeur de cash en devanture. A présent on y retire l'argent qu'on n'a pas ! En rentrant chez moi (avec difficulté), je cherche le 113, rue Notre-Dame-des-Champs, où Hemingway s'est installé en 1924, de retour de Toronto (Ezra Pound vivait au 70 bis de la même rue). Je passe devant le 115, puis le 111. Hé ! Mais le 113 a disparu, lui aussi ? Pourtant ce n'était pas une maison close ! Je reviens sur mes pas... La rue Notre-Dame-des-Champs saute du 111 au 115, je ne rêve pas, vous pouvez vous y rendre pour vérifier. Ainsi l'immeuble où Francis Scott Fitzgerald a pissé dans les escaliers, causant une mémorable dispute d'Ernest Hemingway avec sa concierge, cet immeuble n'existe plus. La seule chose qui en reste, c'est un livre : Paris est un immeuble mobile. Il n'y a pas même de plaque. Dommage, il y aurait des choses à graver dans le marbre. « Ici l'écrivain américain Ernest Hemingway a aimé sa femme Hadley et son fils Bumby, et reçu Gertrude Stein, Sylvia

Beach, William Carlos Williams, John Dos Passos, et écrit *Le Soleil se lève aussi*, et Francis Scott Fitzgerald a uriné sous le porche un samedi soir de 1925, et la concierge s'est fâchée, et Fitzgerald a écrit une lettre d'excuses à Hemingway dans laquelle il disait :

"L'homme déplorable qui est venu dans votre appartement samedi soir n'était pas moi mais un individu nommé Johnston qui se fait souvent passer pour moi." »

Moralité : quand les immeubles disparaissent, seuls les livres peuvent s'en souvenir. Voilà pourquoi Hemingway écrivait sur Paris avant de mourir. Parce qu'il savait que les livres sont plus costauds que les immeubles.

9 h 11

**Message ultra-confidentiel défense
de l'agent secret David Yorston aux Forces
de l'Alliance Galactique**

Le 11 septembre 2001, j'ai découvert que mon père avait des superpouvoirs. J'étais avec mon grand frère au *Windows on the World* quand tout a commencé. En fait mon père s'appelle officiellement Carthew mais c'est pas son vrai nom. Il savait pas qu'il disposait de facultés méga-extra-sensorielles, comme dans *X-Men* quand le gars se rend compte qu'il voit à travers les murs alors qu'il le savait même pas avant. Moi je le savais car j'ai été informé par la charte intergalactique en 7987 avant notre ère (je suis un agent du Conseil interspatial). En réalité mon père ne s'appelle pas Carthew mais Ultra-Dude. On ignore encore toute l'étendue de ses capacités parce qu'il s'en est pas encore servi car ses pouvoirs ne marchent que quand il est en mégadanger, comme dans un incendie par exemple. A ce moment-là il est capable de transpercer le béton, de tordre le métal et de voler dans les airs car la peur recharge ses bat-

172

teries potentielles. Et puis ensuite il se souvient de rien car sa mémoire est auto-adaptatrice instantanée, ce qui lui permet d'effacer toutes les données de son disque dur mental, afin de pas fournir les microfilms en cas d'interrogatoire poussé dans les geôles de la Conscritation Etoilée de son ennemi juré Morg (également connu sous le nom de Jerry l'Infâme).

Je mangeais des pancakes en compagnie de quelques Terriens quand les Forces Sombres se sont abattues sur nous : c'était une attaque planifiée de longue date, sûrement une tentative du lieutenant Devil-Raptor pour prendre Ultra-Dude par surprise. Transformé en avion à l'aide de son transformateur secret enfoui sous le pôle Nord depuis des millénaires, l'ignoble Devil-Raptor s'incrusta par téléportation dans le gratte-ciel dans le but de toucher la prime macro-constrictive (Devil-Raptor est un chasseur de primes intersidéral à transformations subliminables : il peut prendre la forme de tous les objets qu'il touche sauf quand il est enrhumé). Bref, l'attaque vient d'avoir lieu, je vous recontacte pour vous tenir au courant de l'évolution des éventualités. Ultra-Dude va réagir dans les minutes qui viennent, dès qu'il s'apercevra de ses super-capacités destructives et métanoliques. Pour l'instant, il ignore encore totalement qu'il est un superhéros qui va se venger de l'affront de l'Obscurité, et aussi le meurtre abominable de sa mère dévorée par les Poissons Friands de l'Horreur il y a douze

173

siècles. Ultra-Dude va sortir de sa torpeur dans un instant et ça va charcler. Ils vont voir ce qu'ils vont voir. Devil-Raptor va recevoir une bonne leçon lorsque Ultra-Dude lui enverra son Starlaser dématérialisant. La Bataille ne fait que commencer. Avec l'aide de l'Arche de l'Alliance, et de l'Anneau Sacré, Ultra-Dude saura faire face aux vulgaires pichenettes de l'adversaire en envoyant son Feu Magique. Ici l'agent X-275, à vous l'Ordre Rebelle.

9 h 12

« Les plantes sont plus aware que les autres species » ; « Manger des cacahuètes, it's a really strong feeling ». J'aime bien le franglais ; c'est la langue du futur. Un livre vient de sortir qui en fait l'éloge : un florilège de citations de Jean-Claude Van Damme, acteur de karaté d'origine belge installé à Hollywood. « La drogue c'est comme quand tu close your eyes. » « Un biscuit ça n'a pas de spirit. » En 2050, tout le monde speakera comme Jean-Claude Van Damme, le héros du film *Replicant*. « Mourir c'est vraiment strong. » « Personne n'est right or wrong ». Les jeunes gens enfermés dans un loft audiovisuel ont embrayé le pas alerte du cyborg belge, très spontanément : « Je suis pas très free du body », « Moi je dis yes à la life », « Est-ce que tu kiffes la night ? », « Je navigue au feeling ». Il ne faut pas avoir peur des mots anglais. Ils s'intègrent paisiblement à notre idiome, afin de créer la langue mondiale, celle qui désobéit à Dieu : la langue unique de Babel. Les words du world. Le nouveau vocabulaire des SMS (« A12C4 »), les logos d'internet ☺, l'évolution de l'orthographe kidélirgrav, la popularisation du verlan, tout cela contribue à fabriquer la novlangue du troisième millénaire. Anyway, whatever. Laissons le dernier mot à Jean-Claude Van Damme : « Une seule langue, une seule monnaie et pas de religion, et on s'en portera tous mieux. Mais on n'est pas là pour parler politique. »

J'aime aussi plein d'autres trucs américains dégoûtants comme le vanilla coke, le beurre de cacahuètes, le cheesecake, les onion rings, le garlic butter, les chicken wings, la root beer.

Par-dessus tout, j'aime Hugh Heffner, le fondateur de *Playboy*. Tous nos pères voulaient lui ressembler. Il faut essayer de comprendre ce qui est arrivé à la génération de nos parents quand tous les hommes friqués des années 60 se sont pris pour Hugh Heffner. Sa grande maison à orgies et son Boeing privé ont transformé la masculinité du XXᵉ siècle. L'homme moderne des sixties est devenu le « womanizer ». Le nouveau don Juan devait conduire une voiture rapide, fumer des cigarettes américaines, s'entourer de blondes aux gros seins en bikini au bord de piscines turquoise. Aujourd'hui, ce modèle de virilité est tombé en désuétude. Rien de plus ringard que les dragueurs de boîtes de nuit ; c'est même à leurs frénétiques tentatives de séduction qu'on reconnaît les vieillards, malgré leurs liftings. Mademoiselle, un type aux tempes grisonnantes vous aborde en jouant les play-boys ? Cela veut dire qu'il a soixante-dix ans, puisqu'il est resté scotché aux années de ses trente-cinq ans, qui avaient lieu il y a trente-cinq ans.

Dans l'Amérique des années 60-70, le play-boy était le surhomme. Tout mâle qui se respectait devait ressembler à Tom Jones, Gunter Sachs, Porfirio Rubirosa, Malko Linge, Julio Iglesias, Curd Jürgens, Roger Moore, Roger Vadim, Warren Beatty, Burt Reynolds. Il fallait avoir la chemise ouverte avec les poils qui dépassent. Il fallait draguer à tout prix une femme différente tous les soirs. Il fallait avoir le visage bronzé toute l'année. Ce qui, dans les années 00, incarne le sommet du démodé et du pathétique, constituait à l'époque le must absolu. En France, Eddie Barclay et Sacha Distel, Jean-Paul Belmondo et Philippe Junot étaient les vraies icônes des bourgeois, bien plus que les hippies et les rock-stars. Ajoutons l'arrivée de la pilule contraceptive, la simplification du divorce, la révolution féministe et sexuelle, et nous obtenons le PLAY-BOY INTERNATIONAL : « L'homme sans gravité » décrit par le psychiatre Charles Melman, celui qui doit « jouir à tout prix ». Que s'était-il passé ? La liberté avait tué le mariage et la famille, le couple et les enfants. La fidélité était devenue un concept réactionnaire, impossible, inhumain. Dans ce nouveau monde, l'amour durait trois ans, grand maximum. Aujourd'hui le PLAY-BOY INTERNATIONAL vit toujours. Il

177

est tapi en chacun de nous ; tout homme l'a forcément digéré. Le PLAY-BOY INTERNATIONAL est célibataire parce qu'il refuse toutes attaches. Il change de nationalité toutes les semaines. Il vit seul et meurt seul. Il n'a pas d'amis, que des relations mondaines et professionnelles. Il parle le franglais. Quand il sort, c'est pour chasser la bimbo (en français : « pétasse »). Au début, quand il est riche et beau, il séduit des femmes superficielles. Plus tard, quand il est moins riche et moins beau, il paiera des prostituées pour l'accompagner, ou se masturbera devant des films pornographiques. Il ne cherche jamais l'amour mais la jouissance. Il n'aime personne, surtout pas lui-même, parce qu'il refuse de souffrir et ne veut pas risquer de perdre la face. Le PLAY-BOY INTERNATIONAL prend des douches de champagne à Saint-Tropez, aborde des filles vénales dans des bars d'hôtel, finit ses tournées dans un club échangiste avec une créature de location. Certes, il est kitsch (en France, Jean-Pierre Marielle l'a souvent parodié ; aux Etats-Unis ce fut Mike Myers avec son personnage d'Austin Powers) mais il ouvre la voie à l'homme mutant du XXIe siècle : dopé au Viagra jusqu'à la mort. Avec son comportement ridicule, pieds nus dans ses mocassins pour rester jeune, le PLAY-BOY INTERNATIONAL pose les bonnes questions : à quoi sert l'amour dans la civilisation du désir ? Pourquoi s'encombrer d'une famille si l'on défend la liberté comme valeur suprême ? Que vient faire la morale dans une société hédoniste ? Si Dieu est mort, alors tout l'univers est un bordel, et il faut juste en profiter jusqu'à en crever. Si l'individu est roi, alors l'égoïsme est notre unique horizon. Et si la seule autorité n'est plus le père, alors, dans la démocratie matérialiste, la seule limite à la violence, c'est la police.

9 h 13

Sous nous : Portes vitrées, plantes vertes, colonnades, parquet ciré, lampes à abat-jour blanc d'un raffinement extrême... Rampes de bois ciré, banquettes en cuir beige, bar ocre...

Sur nous : Hélicoptères qui tournent comme des frelons d'aluminium, colonne de fumée qui prolonge la tour jusqu'à 620 mètres.

Nous : Humains tremblants agglutinés devant une porte close au milieu des machineries, tuyauteries, assourdis par le brouhaha des pompes de surcompression et des générateurs hydrauliques. Humains en cours de cuisson.

Candace le premier soir : « Tu m'as tellement bien baisée que j'avais l'impression que vous étiez sept. »

Je regarde Jerry. Sous cet angle, il me ressemble beaucoup. Heureusement pour David, il me ressemble moins. Mais je me suis reproduit ;

180

c'est indéniable. Et puis je me suis barré vite fait. Si la société vous laisse le choix entre entendre les cris d'un bébé et aller à une party sans votre femme, il ne faut pas s'étonner qu'on dénombre de plus en plus de mères célibataires en Occident. Je sais très bien ce que Jerry pense de moi parce qu'il me l'a dit. Il pense que je me prends pour James Bond : le type qui tombe toutes les filles qu'il croise.

David, lui, s'imagine que je suis une sorte de surhomme :

— Dis p'pa, tu sais, t'as pas besoin de cacher tes superpowers plus longtemps.

L'avantage de draguer des filles différentes, c'est qu'on peut leur dire toujours la même chose. C'est très reposant.

Jeffrey me montre une bouteille de haut-brion 1929.

— Hey! Autant la boire, j'ai trouvé une caisse dans le passage, je ne vois pas de raison de s'en priver. J'ai distribué les autres bouteilles à tout mon groupe!

— Attention à ne pas trop mélanger avec les pills...

— What the hell! Come on! Enjoy!

Jeffrey débouche le grand cru français et s'envoie une bonne rasade au goulot.

— Wow! Il aurait besoin d'être un peu aéré, mais c'est un nectar...

181

— Je crois que nous aurions tous besoin d'être aérés, dit Anthony. Où avez-vous pris cette bouteille ?

— Relax, c'est juste un emprunt, ma boîte remboursera le restau, don't worry be happy...

Je bois à la bouteille. Le vieux liquide pourpre datant du krach de 29 roule dans mon gosier comme une caresse ultime, un baiser du diable. On aurait tort de s'en priver, ça détend. Je tends la bouteille à Anthony, qui la refuse.

— Non, merci, pas d'alcool, je suis musulman pratiquant.

— Putain ! Moi je suis juif ! s'écrie Jeffrey en attrapant le haut-brion par le col avant de faire dégouliner le vin au-dessus de sa bouche ouverte. Alors tu veux tous nous tuer ? T'es content de ce que tes copains ont fait là ?

— Come on ! On sait pas qui a fait le coup. Could be anybody.

— Allez, arrête, les tueurs kamikazes c'est votre truc. Vous vous faites sauter dans des pizzerias et Allah vous récompense.

Anthony se vexe.

— Bon sang je suis musulman mais pas fanatique, give me a break, man.

— T'énerve pas Tony, dis-je en récupérant la boutanche, il a mélangé les anxiolytiques avec le pinard, il disjoncte, c'est tout.

— OK je disjoncte, réagit Jef, c'est moi qui disjoncte parce que je suis un pédé juif, c'est ça ? et c'est peut-être moi qui flanque des avions dans les tours et qui trucide des innocents juste pour détruire l'Etat d'Israël ?

Houlà. Je me reprends une bonne gorgée de haut-brion 1929 avant de jouer les Boutros Boutros.

— Ecoute, je suis chrétien, il est musulman et t'es juif, ce qui veut dire qu'on croit tous dans le même Dieu, OK ? Alors tu te calmes. On n'a qu'à prier dans nos trois religions, comme ça Dieu aura trois fois plus de chances de nous entendre et d'ouvrir cette goddam door !

Le vin pacifie les guerres de religion. Anthony a tort de ne pas y goûter. Il se rassied pour continuer d'appuyer sur son portable. Jeffrey s'envoie le vin en gloussant :

— Il est même pas kasher !

Jerry se marre, et moi aussi. David rêve toujours. Lourdes est restée accrochée aux stores. J'aimerais vous raconter des péripéties insensées, avec des rebondissements étonnants, mais c'est la vérité : il ne se passait rien. Nous attendions qu'on vienne nous chercher, et personne ne venait. Ça sentait la moquette brûlée et les Mars fondus dans les machines à bonbons, quelques mètres plus bas, dans les entrailles du monstre.

9 h 14

J'en veux beaucoup à l'inventeur du parachute de bureau de n'en avoir eu l'idée qu'après la tragédie. Ce n'est pourtant pas une création très compliquée : tu n'aurais pas pu y penser avant, pauvre connard ? J'aurais aimé voir des centaines d'hommes et de femmes se jeter dans le vide avec leur sac sur le dos, et leur parachute s'ouvrir au-dessus de WTC Plaza. J'aurais aimé les voir planer dans le bleu, narguer la pesanteur et les terroristes, poser le pied sur le béton, tomber dans les bras des pompiers.

Pareil pour les architectes qui ont décrété que les immeubles n'auraient plus d'escaliers extérieurs. Tous les buildings de New York en ont, sauf ceux qui ont trop d'étages, c'est-à-dire ceux qui en auraient le plus besoin. Ça ne fait pas joli sur une tour ? Attention, l'esthétique tue. Un escalier extérieur de 110 étages, ce n'était pas imaginable ?

Et la sécurité dans les avions, pourquoi n'a-t-elle pas changé ? Le personnel de sécurité continue d'observer d'un œil distrait les bagages aux rayons X. Parfois on les fouille un à un, au pifomètre. Ils ont remplacé les couteaux en métal par des couteaux en plastoc. Mais ils ont laissé les fourchettes en métal ! Comme si on ne pouvait pas tuer quelqu'un avec une fourchette. Il suffit de viser les yeux ou la glotte, et de taper trente fois. Ils n'ont pas vu Joe Pesci dans *les Affranchis* ou quoi ?

Pourquoi n'y a-t-il pas des vigiles dans chaque avion ? Il y en a bien à l'entrée des discothèques ! Les boîtes de nuit seraient-elles plus dangereuses que les avions ? Pour le moment, on continue de confier la sécurité des passagers à des hôtesses de l'air aux cous faciles à trancher.

On aurait aussi pu jeter de longues cordes aux victimes, qu'ils auraient utilisées pour s'évader, comme les prisonniers qui attachent des draps aux barreaux de leur cellule pour se laisser glisser le long de la paroi. Pourquoi n'a-t-on rien tenté de ce côté-là ? Ou des échelles de corde, lancées du côté où ça ne brûlait pas. Ou disposer un immense matelas pneumatique gonflable pour amortir la chute des « jumpers » comme dans *Lethal Weapon*.

En vérité, personne ne pensait que les tours pouvaient s'écrouler. Confiance excessive dans la technologie. Manque singulier d'imagination. Croyance dans la supériorité de la réalité sur la fiction.

« C'est comme être à l'intérieur d'une cheminée », dit un des pompiers dans *la Tour infernale* de John Guillermin (film sorti en 1974, l'année de l'inauguration du World Trade Center). Si la police n'a pas tenté le sauvetage par les airs, c'est sans doute parce que les flics avaient vu ce film-catastrophe, dans lequel on tente de sauver les rescapés d'un incendie similaire, bloqués dans une fête au dernier étage d'un gratte-ciel, en leur tendant un câble par hélicoptère. Dans le film, le « chopper » s'écrase sur le toit. A 9 h 14, la police n'a peut-être pas voulu risquer de donner raison à la fiction.

9 h 15

Cela fait une demi-heure que nous avons un avion sous les pieds

Toujours pas d'évacuation

Nous sommes du métal hurlant

Gens accrochés aux fenêtres

Gens qui tombent des fenêtres

Un fauteuil à roulettes abandonné

Des bureaux à tréteaux sans tréteaux

Une agrafeuse oubliée sur une photocopieuse

Des placards renversés avec classeurs toujours classés

Un agenda plein de rendez-vous urgents

Bulletin météo annonçant 26 degrés ce matin grand ciel bleu

Toutes les vitres soufflées

Liquide en flammes dans les cages d'ascenseur

98 ascenseurs, tous hors service

Marbre blanc taché de sang dans l'open-space

Deux corridors éclairés à l'halogène comme des pointillés au plafond

Flammes ocre aux volutes bleues

Papiers qui dansent dans l'air comme le 4 juillet

Débris de gens du monde entier

United Colors of Babel

Mains en lambeaux
peau qui pend sur les bras
comme une robe d'Issey Miyake

Jolies femmes en pleurs
Morceaux d'avion dans les escalators
Jolies femmes qui toussent

Aucun contact avec l'extérieur
Assiettes et tasses blanches et bleues brisées

Tout est brumeux poussiéreux mort sale
Silence troué d'alarmes

Visages dépecés devant la machine à café

Un endroit fermé avec du feu en dessous
On cuit
On est en train de rôtir comme des poulets

Enfumés comme des saumons
Alarmes à fond

Dust in the wind
All we are is just
Dust in the wind

Avec la chaleur les peintures figuratives
dégoulinent
Et deviennent peintures abstraites

Pluie de corps humains sur WTC Plaza.

9 h 16

Je me suis souvent demandé pourquoi les gens plongeaient dans le vide en cas d'incendie. C'est qu'ils savent qu'ils vont mourir. Ils n'ont plus d'air, ils suffoquent, ils brûlent. Quitte à en finir, autant que cela se passe vite, et proprement. Les « jumpers » ne sont pas des dépressifs mais des êtres raisonnables. Ils ont pesé le pour et le contre. Ils préfèrent une chute vertigineuse que de noircir comme des merguez dans une pièce enfumée. Ils choisissent le saut de l'ange, l'adieu vertical. Ils sont sans illusions, même si certains tentent d'utiliser leur blouson comme parachute de fortune. Ils tentent leur chance. Ils s'échappent. Ils sont humains car ils préfèrent choisir comment ils vont mourir plutôt que de se laisser flamber. Une dernière preuve de dignité : ils auront décidé de leur fin au lieu de l'attendre avec résignation. Jamais l'expression « chute libre » n'a eu plus de sens.

N'importe quoi, mon pauvre Beigbeder. Si entre 37 et 50 personnes se sont jetées dans le vide du haut de la tour Nord, c'est tout simplement par impossibilité de faire autrement, suffocation, douleur, réflexe instinctif de survie, parce que cela ne pouvait pas être pire que de rester à l'intérieur du brasier asphyxiant. Ils ont sauté tout simplement parce qu'à l'extérieur il faisait moins chaud qu'à l'intérieur. Tu sais, on a beau être spécialisé dans les fusions-acquisitions, ça fait une impression bizarre d'être en fusion tout court. Demande à n'importe quel pompier de t'expliquer. Les « jumpers » se situent à une telle extrémité qu'ils ne sentent plus le danger. Proches de l'inconscience, drogués à l'adrénaline, ils sont si terrifiés et choqués que leur état confine à l'extase. Tu ne sautes pas de 400 mètres de hauteur parce que tu es un homme libre. Tu sautes parce que tu es un animal traqué. Tu ne sautes pas pour rester humain mais parce que le feu a fait de toi une bête. Le vide n'est pas un choix raisonné. C'est juste le seul endroit agréable vu de là-haut, un lieu qui fait envie, qui n'arrache pas ta peau avec des griffes chauffées à blanc, qui ne te crève pas les yeux aux tisons ardents. Le vide est léger. Le vide est une issue. Le vide est accueillant. Le vide te tend les bras.

9 h 18

Ok Carthew, puisque tu le prends sur ce ton, je pars pour New York. Non, la tour Montparnasse n'est pas la troisième tour du World Trade Center. De toute façon, ma vie aussi tourne au film-catastrophe : mon amour m'a quitté ce matin à 9 h 18. Flaubert disait : « je voyage pour vérifier mes rêves ». Je dois vérifier mon cauchemar. Pour me suicider, je décide de prendre le Concorde. Je rappelle que cet avion supersonique, créé par de Gaulle dans les années 60 mais inauguré sous Giscard d'Estaing en 1976, possède une fâcheuse tendance à s'écraser sur les hôtels de la banlieue parisienne. J'ai donc réservé mon fauteuil parce que j'ai le goût du risque. Je suis un aventurier, un adepte des sports extrêmes. Le prix du billet ? 6 000 euros l'aller simple, le coût d'une jupe Chanel ; ce n'est pas très cher pour remonter dans le temps. Car le Paris-New York en Concorde est la machine imaginée par H.G. Wells : il décolle à 10 heures du matin et atterrit à 8 heures du matin, c'est-à-dire avant qu'Amélie me largue. Dans trois heures, je serai à New York, il y a deux heures.

193

Le vrai voyage dans le temps commence dès le lounge seventies. J'ai l'impression que j'écris sur le Onze Septembre mais j'écris sur les années 70 : décennie de naissance du WTC, de la tour Montparnasse, et du Concorde qui relie les deux. Hôtesses de l'air en tailleur beige aux lèvres gonflées de collagène, stewards bronzés aux UV, fauteuils blancs, murs moletonnés comme dans un hôpital psychiatrique, hommes d'affaires rivés à leur portable, businesswomen qui dégainent leur Palm Pilot : tout est vieillot comme dans *2001 l'odyssée de l'espace*. 2001, c'était il y a deux ans : le rêve kubrickien des 70's ne s'est pas réalisé. On ne voyage pas sur la Lune en écoutant des valses de Strauss ; à la place, des Boeing immeublissent sur fond de muezzin.

Par la fenêtre de l'aéroport de Roissy, je me trouve nez à nez avec le supersonique. Son bec est encore plus pointu que le mien. Des logos bleus « Concorde » rappellent que cet engin est une de nos grandes fiertés nationales – en voie de disparition. L'autre jour, un Concorde a perdu son gouvernail en plein vol. J'embarque dans une cabine minuscule : les VIP baissent la tête. Depuis le crash de Gonesse, les incidents techniques abondent : pannes de moteur, usure des carlingues, les années 70 rendent peu à peu l'âme et je vais peut-être y rester, dans les années de mon enfance oubliée. D'ailleurs l'avion est presque vide. Il faut vraiment être un kamikaze comme moi pour grimper à bord de cet oiseau à aile delta. Ma bravoure étant limitée, j'en suis à ma cinquième mignonnette d'Absolut. Je m'affale dans mon fauteuil numéro 2D. Il pleut et je me trouve vachement gonzo, ivre mort dans un Concorde à l'arrêt.

L'hôtesse : – Monsieur, nous vous proposons le champagne Krug pour accompagner votre caviar...

Moi : – Voui, ça conviendra-t-effectivement.

Je suis déçu de mourir ainsi, incrusté connement dans un hôtel Formule 1 de la banlieue Nord, mais au moins j'en aurai profité jusqu'au bout. En plus, c'est de l'osciètre iranien : le caviar islamiste !

Il faut être complètement taré pour claquer six patates simplement pour gagner trois heures de vol. Les gens qui ont imaginé cette machine étaient-ils très défoncés ou croyaient-ils vraiment que ce maigre gain de temps méritait qu'on brûlât des tonnes de kérosène supplémentaires ? Qui étaient ces ingénieurs des années 60 ? Leurs aspirations semblent si obsolètes... si XXe siècle... Un monde blanc, rapide, lisse et plastifié, où des avions triangulaires snoberaient les fuseaux horaires... Plus personne n'y croit... mon voisin chauve bâille en lisant l'Express... Tout vient de cette époque, la dernière période optimiste... les répondeurs automatiques... le jet-lag... Les news magazines... C'était vachement « in » de se plaindre du décalage horaire, maintenant on n'ose plus en parler tellement c'est ringard... Je suis bourré comme un coing, et le Concorde décolle dans un boucan abominable accompagné de vibrations louches... Si j'étais une nana, il me suffirait de coller ma chatte contre l'accoudoir pour avoir trois orgasmes... Je suis écrasé comme une crêpe sur mon fauteuil... Le prospectus se vante : « la poussée nominale de chaque réacteur est de 17 260 kg »... Je me demande si je ne vais pas vomir mon caviar... « La poussée rapportée au poids de l'avion est 1,66 fois plus importante que celle du B747 »... Vocabulaire de sage-femme : poussez, poussez... Excusez-moi Madame l'hôtesse mais je crois que je vais caviarder la cabine pressurisée... « Cette poussée considérable est obtenue à partir d'un réacteur classique auquel a été ajouté un système de postcombustion qui a pour but de réchauffer les gaz d'échappement du réacteur, ce qui augmente leur vitesse de sortie. Cette opération a pour effet d'accroître la poussée de 17 % »... J'ai tout dégueulé dans mon sac en papier... Je prends un air blasé quand nous franchissons le mur du son au-dessus de celui de l'Atlantique... En face de moi un compteur à cristaux liquides indique que nous volons à Mach 2... Je dois être verdâtre quand je transperce la strato-sphère à 2 200 km/h... Je n'arrive pas à être ce décideur overbooké et efficace dont rêvaient les inventeurs, probablement moustachus à l'époque, du Concorde... C'est peut-être l'alcool mais je les trouve attendrissants d'avoir été si pressés... puisque les Américains gambadaient sur la Lune, il fallait trouver autre chose... Les Français sont puérils... C'étaient des adultes, des scientifiques très sérieux, des spécialistes en aéronautique; mais c'étaient aussi des gamins, des bébés trop mignons qui faisaient mumuse avec leur nouveau joujou.

9 h 19

En haut d'un artificiel piton rocheux, deux amants se prenaient la main.

— J'ai toujours détesté les mardis. C'est encore le début de la semaine mais en plus faux cul que le lundi, dit la blonde en Ralph Lauren.

— Putain ça fait chier qu'on puisse pas sortir d'ici, dit le brun en Kenneth Cole. T'as pas deux Advil ?

— Nan, j'ai avalé les derniers après avoir inhalé la fumée de la moquette, dit la blonde en Ralph Lauren. Elle m'a arraché la gorge.

Les conduites d'air conditionné crachaient un nuage dans la salle de réunion. La fumée montait de la moquette d'abord en volutes fines, puis en trois colonnes épaisses le long des murs comme de la brume sur un marécage, ou des feux follets dessinés par un décorateur italien.

— Quand je pense que tu verras jamais mon home cinema : un écran plasma de la taille du lac Supérieur, dit le brun en Kenneth Cole.

— Too bad... Mais ne sois pas défaitiste, les pompiers vont arriver, c'est une question de minutes, dit la blonde en Ralph Lauren.

— Saint George Soros, priez pour nous ! dit le brun en Kenneth Cole.

— Ô Ted Turner, viens à notre secours ! dit la blonde en Ralph Lauren.

Ils se marrent mais leurs rires se transforment en quinte de toux. Ou alors c'étaient des quintes de toux depuis le début.

— Tu connais la différence entre Microsoft et Jurassic Park ? demande le brun en Kenneth Cole.

— Non mais je sens que ça va encore voler haut, dit la blonde en Ralph Lauren.

— L'un est un parc de dinosaures qui se bouffent entre eux. Et l'autre est un film.

Cette fois, elle se marre vraiment. Le brun en Kenneth Cole est pris d'une crise de fou rire. Il ne peut plus s'arrêter, sa propre blague l'étouffe, il devient violet. La blonde explose aussi ; ils se noient dans la vanne du brun, ils sont épuisés, ils rient nerveusement. Quitte à mourir asphyxié, autant que ce soit de rire. Mais ils se reprennent. La blonde enlève sa veste. Son chemisier rayé est entrouvert. Entre ses seins pend une fine chaîne en or avec un petit cœur tout au bout. De l'autre côté des vitres il y a l'Amérique en feu.

— Tu as réussi à joindre ta mère ? demande le brun en Kenneth Cole.

— Non, dit la blonde en Ralph Lauren. Vaut mieux pas. Inutile de l'inquiéter pour rien. Soit on sort d'ici et je l'appelle, soit on sort pas et je l'appelle pas. Que voudrais-tu que je lui dise ?

— Adieu Maman, je t'aime. Embrasse toute la famille, dit le brun en Kenneth Cole.

— Pauv'con, dit la blonde en Ralph Lauren.

Ce n'était pas un pauvre con. Il s'était assis sur la table. Lui aussi avait retiré sa veste. Il respirait difficilement. Il aimait cette femme. Il ne voulait pas la perdre. Il ne voulait pas qu'elle souffre. Il pensait à leur rencontre au bureau, à tous les cafés, tous les verres de bière, toutes les chambres d'hôtel. A sa peau douce, parfumée à la crème. Son cœur ne battait pas seulement à cause de la peur ; il était capable de sentiments. Il sentait que tout cela était passé, et ne reviendrait pas. Il réalisait progressivement que leur histoire allait s'arrêter là, dans cette pièce aux murs beiges. Elle était une ravissante blonde, et il l'imaginait enfant, les joues roses, les cheveux dans le vent, une blonde élevée au grain, courant en robe à fleurs dans un pré, un champ de blé ou de seigle, tenant un cerf-volant ou une connerie dans le genre.

9 h 20

J'avais choisi l'avion qui s'écrase tout le temps et la destination la plus menacée d'attentats : normalement, j'aurais dû y passer assez vite.

Quelle que soit sa vitesse, prendre un avion à destination de New York City n'aura jamais plus la même saveur qu'avant. Autrefois : sensation de légèreté, enthousiasme infantile, mélange d'attirance et de jalousie, fatigue feinte pour masquer une excitation trépidante, admiration naïve, esprit d'entreprise et ce bon vieux cliché de « l'énergie électrique de la Grosse Pomme », galvanisé par les paroles de *New York, New York* (« I'm gonna be a part of it », « If I can make it there / I'll make it anywhere »). Désormais : impression d'être dans une série B, effroi paranoïaque, compassion sirupeuse, air blasé pour cacher sa trouille ridicule, attention décuplée envers tout voisin surtout s'il a le teint mat, surveillance du moindre détail, avant-goût de fin du monde, fierté déplacée d'en être sorti vivant quand l'avion atterrit.

Les chiottes du Concorde étaient bouchées par mon vomi mais on ne va pas en parler car ceci est un roman pudique. Avant l'atterrissage, les hôtesses nous ont distribué des fiches cartonnées vertes. Tous les aliens doivent remplir le questionnaire de l'US Immigration Service :

— Etes-vous atteint de troubles mentaux ? OUI NON

— Transportez-vous des drogues ou des armes ? OUI NON

— Etes-vous communiste ? OUI NON

— Demandez-vous l'entrée aux Etats-Unis dans l'intention de vous livrer à des activités criminelles ou immorales ? OUI NON

— Etes-vous impliqué dans des activités d'espionnage, de sabotage, de terrorisme, de génocide ? Entre 1933 et 1945, avez-vous participé à des persécutions perpétrées au nom de l'Allemagne nazie ou de ses alliés ? JA NEIN

— Avez-vous demandé à être exonéré de poursuites judiciaires en échange de votre témoignage ? OUI NON

Coup de bol : n'y figure pas la question « Avez-vous l'intention d'écrire un roman sur le Onze Septembre ? »

Mon conseil : répondre par la négative. Quelque chose me dit qu'un OUI attirerait plutôt des complications administratives.

L'US Department of Justice pourrait rajouter de nouvelles questions :

— Etes-vous pédophile ? OUI NON

— Faites-vous partie de la famille Ben Laden ? OUI NON

— Vous masturbez-vous régulièrement devant des photos de cadavres démembrés ? OUI NON

— Fumez-vous des cigarettes ? OUI NON

(si vous êtes une femme) — Avez-vous l'intention de sucer le président des États-Unis sous son bureau ? OUI NON

Vous trouvez que je crache une fois de plus dans la soupe ? Je devrais me satisfaire de mon statut d'enfant gâté et fermer ma gueule ? Désolé, j'enquête sur la destruction des seventies. L'utopie de cette décennie est le monde dans lequel une majorité de Terriens refuse de vivre. Trois heures pour faire Paris-New York, c'est la même durée que Paris-Marseille en TGV. Le Concorde est un AGV qui ne nous avance à rien. Un délire parmi tant d'autres, qui n'est pas le plus grave. Mais derrière l'Avion à Grande Vitesse se cache une idéologie, symbolisée par le nez cabré du supersonique à l'atterrissage, cette aiguille qui s'abaisse vers le sol comme pour marquer son dédain envers ceux qui ne sont pas à bord.

Il y a une utopie communiste et cette utopie s'est arrêtée en 1989. Il y a une utopie capitaliste et cette utopie s'est arrêtée en 2001.

Pendant le vol, je n'arrêtais pas de déranger l'hôtesse :

— Quand est-ce qu'on arrive ? Ah là là, c'est long... Dites-moi, on n'est pas en retard ? J'ai

203

l'impression qu'on se traîne... Non, parce que, vous comprenez, moi, je suis le seul passager dont le billet n'est pas en note de frais...

A l'aéroport John Fitzgerald Kennedy, un panneau lumineux indique : « Gates 9-11 ». Franchement, il faudrait le changer, c'est d'un goût douteux. Nous sommes arrivés à l'heure, c'est-à-dire avant d'être partis. Il pleuvait au départ et je pleurais à l'arrivée. Tout est plus joli sous la pluie qui ne lave rien, surtout pas nos péchés. Il était 8 h 25 : Amélie ne m'avait pas encore quitté. Pour narguer le personnel de bord, je faisais semblant d'être impatient mais c'était faux : je ne l'étais pas.

Je n'avais pas hâte qu'il soit de nouveau 9 h 18.

9 h 21

J'en ai marre d'avoir la gorge qui gratte. Ça schlingue ici. J'ai les yeux qui me brûlent et super chaud aux pieds. J'essaie de me retenir de pleurer mais des larmes sortent quand même de mes yeux. David m'a expliqué que papa attend de recharger ses batteries avant d'intervenir, il pense que s'il n'agit pas, c'est parce que « c'est pas facile de conduire une Corvette pied au plancher d'une seule main au bord du Grand Canyon en se retournant pour voir une éruption volcanique qui s'approche alors que Cameron Diaz arrive suspendue à un filin d'hélicoptère et que John Malkovitch gueule dans un haut-parleur parce qu'il ne reste que dix secondes avant que la bombe atomique placée sous la mer n'explose provoquant un raz de marée inondant New York où ses enfants sont détenus en otage par un sosie du président des Etats-Unis dans un bunker gardé par des dinosaures sanguinaires élevés en secret par une agence gouvernementale au fond d'un puits thermonucléaire confidentiel défense ». En d'autres termes, David est persuadé que papa est un Ultra-Dude en phase de réactivation. Quel débile ce Dave.

Moi j'ai juste la trouille et j'aimerais sacrément partir d'ici. Papa dit qu'il faut écouter Anthony, et Anthony dit qu'il faut rester là, ne pas paniquer et que les secours vont arriver. Ce qui m'angoisse c'est de sentir que papa a encore plus les chocottes que moi. Putain ça me fout les boules de saigner du nez, faut tout le temps que j'appuie dessus, ça me prend une main, et papa tient l'autre, et on regarde cette porte, et c'est vraiment creepy. Jeffrey prie en hébreu et Tony en arabe, je te jure, c'est folklo. Mais le plus dingue dans tout ça (à part David qui se croit dans un Marvel), c'est la prière de Daddy.

— Oh Seigneur, je sais que je vous ai négligé ces derniers temps mais il y a la parabole de l'enfant prodigue, elle est pratique cette parabole, si j'ai bien compris elle signifie que les mécréants et les traîtres seront accueillis à bras ouverts s'ils reviennent vers vous, alors voilà : je me sens superprodigue ce matin.

— Ah ! Tu vois, ch'te l'avais dit, qu'il deviendrait super quelque chose, s'écrie David.

— Ta gueule, bon sang, y a papa qui prie, c'est sacré.

Nous joignons nos mains tous les trois et papa poursuit sa prière.

— Seigneur je suis faible, j'ai péché et je me repens. Oui j'ai divorcé, c'est ma faute, ma très grande faute. J'ai quitté mon foyer, mes deux fils ici présents...

— Dis pas ça, p'pa... Arrête maintenant...

Il me fout les boules à un point, shit, j'arrive plus à m'empêcher de chialer, j'ai beau regarder

fixement une tache sur le sol, c'est la dégouli-
nade. La vache, c'est hard. J'aimerais vraiment
être ailleurs. J'aimerais être une mouche en
train de voler de l'autre côté de cette porte. Si
on m'avait dit qu'un jour je serais jaloux d'une
mouche. Mais sans blague, c'est cool d'être une
mouche à la mords-moi-le-nœud, ça vole et ça
saigne pas du nez, une mouche c'est libre et ça
fiche le camp et puis ça réfléchit pas. Je ferais
BZZ autour des tours, avec mes yeux à facettes
je regarderais tous les cons derrière les Windows, BZZ et hop ! un petit virage en piqué, et
je me casse de là sans demander mon reste. Ce
serait géant.

— Oh Seigneur, je suis un porc égoïste qui
implore votre pardon à genoux...

L'idéal ce serait d'être une mouche sourde.

9 h 22

A New York, je suis libre, je peux aller où je veux, me faire passer pour n'importe qui. Je suis n'importe qui : l'homme mondial. Je n'ai pas ces racines qui emprisonnent, ni ma mini-célébrité audiovisuelle pour m'enfermer. La notoriété, comme le couple ou la vieillesse, rend prévisible. La liberté, c'est être seul, jeune et inconnu. Je n'ai jamais été aussi libre de toute ma vie : individu solitaire dans une ville étrangère avec de l'argent dans les poches. A quoi ça m'avance ? Ma liberté est vide. Puisque je peux tout faire, je ne fais rien. Je picole dans ma chambre d'hôtel devant des films X-rated en baissant le son parce que Mylène Farmer dort dans la chambre d'à côté. Je déprime dans des bars design. J'en suis arrivé à un point où, chaque fois qu'on me demande comment ça va, je change de sujet en regardant ailleurs, détournant les yeux pour ne pas pleurer. « How are you ? » est une question effrayante. « Everything OK ? » me semble une inquisition piégée.

La dernière fois que ma fiancée m'a quitté, je ne l'ai pas prise au sérieux car elle me quitte souvent. Pourtant cette fois est bien la dernière, je le sens. Cette fois elle ne reviendra pas, et il me faudra apprendre à vivre sans elle alors que j'avais prévu l'exact opposé : mourir avec.

Je l'aimais mal et elle ne m'aimait plus ; les femmes prennent souvent les devants ; il n'est pas question que je souffre en silence.

— Tu étais ma plus belle histoire d'amour.

— J'ai horreur des déclarations à l'imparfait.

J'ai vécu avec des femmes depuis que j'ai quitté ma mère. A partir de maintenant, il me faut apprendre à vivre seul comme mon père. J'aimerais que ma vie paraisse plus compliquée que ça. Malheureusement la vie est humiliante tellement elle est simple : on fait tout pour échapper à ses parents, et puis on devient eux.

La Bourse s'effondre. Bientôt le Dow à 7 000 ? 6 500 ? moins ? Le chômage augmente. La municipalité de New York est en faillite (déficit de 3,6 milliards de dollars) – vite, une guerre pour relancer l'économie ! Toutes les chaînes de télé annoncent les bombardements en Irak. En retour, tous les New-Yorkais attendent l'attentat à la bombe atomique. Dans les écoles on distribue des manuels aux enfants expliquant comment mettre du chatterton sous les portes en cas d'attaque chimique. Beaucoup de familles se sont équipées de kits de survie : lampes de poche avec piles de rechange, cordes, eau et pilules d'Iosat (médicament censé protéger des radiations). L'alerte jaune est devenue alerte orange. Et moi, j'erre à la découverte de mon nombril dans les ruelles de la ville en danger.

Chaque décennie invente une nouvelle maladie. Dans les années 80 : le sida. Dans les années 90 : la schizophrénie. Dans les années 00 : la paranoïa. Il suffirait d'une seule bombe humaine dans le métro à Times Square pour créer la panique totale. Pourtant il n'y a eu aucun attentat aux Etats-Unis depuis le Onze Septembre. Cela devrait les rassurer. Eh bien non. Chaque jour qui passe sans attaque augmente les probabilités d'une attaque. Alfred Hitchcock l'a dit et répété : la Terreur, c'est mathématique. Ce matin, les Américains ont arrêté Khalid Sheikh Mohammed, un des cerveaux d'Al-Qaïda. Cela devrait les rassurer. Pas du tout : le gouvernement s'attend à des représailles.

C'est fou comme je me sens chez moi dans la ville la plus menacée au monde. Le terrorisme est une constante épée de Damoclès, qui perfore les immeubles. Je suis dans mon élément ici. Sans toi, de toute façon, il n'y a pas d'endroit vivable. Autant être dans un lieu catastrophique quand on traîne sa propre apocalypse.

Que suis-je venu chercher ici ? Moi.

Vais-je me trouver ?

9 h 23

Le terrorisme ne liquide pas des symboles
mais découpe en morceaux des individus de
chair et de sang. Toutes ces larmes entremêlées.
Jeffrey, Jerry, les miennes. Heureusement que
David vit dans un monde imaginaire. Il a raison
de fuir la réalité inhospitalière. Lourdes apporte
des bouteilles d'Evian sorties d'on ne sait où,
God bless her. Nous nous jetons dessus. Avec
toute la fumée avalée, et l'odeur du carburant,
on frôle l'asphyxie mais aussi la déshydrata-
tion. C'est alors qu'Anthony nous fait une crise
d'asthme. Le pauvre se roule par terre, et nous
ne savons pas quoi faire pour l'aider. Je suis
désemparé. Lourdes lui verse de l'eau minérale
dans la bouche mais il recrache tout. Jeffrey me
fait signe et nous le transportons jusqu'aux toilettes de l'étage. Je tiens ses jambes et Jef ses
aisselles (un de ses bras étant sévèrement brûlé).
Une fois de plus, je confie David et Jerry à
Lourdes. Anthony se débat pour inspirer et
expirer. Je tremble comme un couillon, Jeffrey
a plus de sang-froid. Il lui passe la tête sous le
robinet. Anthony vomit quelque chose de noir.
Je prends des serviettes en papier au distribu-

teur pour l'essuyer. Quand je me retourne, Jeffrey tient la tête d'Anthony contre son torse. Celui-ci ne bouge plus.

— Il est... mort ?

— Je sais pas, putain, je suis pas médecin, il respire plus, il est peut-être juste évanoui.

Il le secoue, lui donne des baffes. Le bouche-à-bouche ne le tente pas (à cause du vomi) : c'est moi qui m'y colle. En vain. Le silence. Je dis à Jeffrey qu'on va le laisser là, qu'il reviendra peut-être à lui, et que je dois retrouver mes kids. Il secoue la tête.

— Tu comprends pas que ce type était notre seule chance de sortir d'ici. C'est fini. On l'a laissé crever et bientôt on va le rejoindre.

J'ai ouvert la porte des toilettes. J'ai pensé : ça alors, le papier toilette triple épaisseur est assorti aux murs de marbre rose. J'ai aussi le temps de constater cela. Mon cerveau continue à s'encombrer de tous les détails alors que j'ai autre chose à foutre.

— Faut que j'y aille.

Je n'ai jamais revu Jeffrey. La dernière image que je garde de lui : il est assis sur le carrelage gris et recoiffe Anthony le vigile. La porte rose se referme. Je fonce vers mes enfants. Je bouscule des gens qui, comme moi, ne cessent d'aller et venir, cherchant la pièce à l'abri, l'issue de secours, le lounge smoke free, la sortie du labyrinthe. Mais il n'y a pas de « No smoking zone » dans la tour One ce matin. On n'est pas à L.A. !

J'aurais bien aimé plaisanter comme ça, m'en foutre et tout laisser tomber, mais je ne pouvais pas. Je n'avais pas le droit. Je croyais devoir sauver mes gamins; en fait c'étaient eux qui me sauvaient, puisqu'ils m'empêchaient d'abandonner. Mes semelles collaient au sol comme s'il y avait du chewing-gum dessous : en fait je crois bien qu'elles commençaient à fondre.

9 h 24

Pour moi New York c'était le wOOO-wOOO des sirènes qui tranchait sur le pinpon français. Quelque chose d'étincelant, le petit truc en plus qui fait sérieux, qui fout les jetons. New York : la ville où l'on parle 80 langues. Les victimes de l'attentat étaient de 62 nationalités différentes.

La première chose que je fais en arrivant : je demande au taxi de m'emmener voir Ground Zero.

— You mean the World Trade Center Site ?

Les New-Yorkais n'aiment pas dire « Ground Zero ». Le chauffeur descend tout en bas de la ville, au bord de la mer, et me dépose devant un grillage. A 9 h 24, New York est un grillage sur lequel on accroche des photos de disparus, des bougies et des bouquets fanés. Une plaque noire énumère les noms de tous les « héros » (les victimes). Le terme exact serait plutôt : les martyrs. D'ailleurs une croix est plantée sur le mémorial. Pourtant les morts n'étaient pas tous chrétiens... Des fleurs par terre dans la neige. Il fait très froid : quinze degrés en dessous de zéro. « Moins que zéro » : petite pensée pour Bret

214

Easton Ellis. Less than Ground Zero. J'entre au One World Financial Center, le seul immeuble du coin à tenir toujours debout. Aucune fouille, aucun contrôle, je pourrais être bardé de dynamite. Dans le Winter Garden, sous une coupole en verre inspirée du Crystal Palace de Londres, j'avance vers la baie vitrée qui donne directement sur le trou béant. Ground Zero : un cratère rempli de bulldozers. Des milliers d'ouvriers ont déjà commencé la reconstruction. Au rez-de-chaussée sont exposés les différents projets architecturaux. C'est celui du Studio Daniel Libeskind qui a été retenu : la plus haute tour du monde, quatre cristaux en U entourant une baignoire, comme des pierres de quartz cassées en morceaux. Personne n'aura envie de l'exploser : il le sera déjà. Dommage : j'aimais bien le projet de World Cultural Center du groupe Think. L'autre face du World Financial Center donne sur la mer, le vent, l'écume, et un Starbucks Coffee.

Je note la présence de nombreuses poubelles non transparentes. Apparemment, la police française n'a pas informé les autorités locales du modus operandi des terroristes islamistes à Paris : les bonbonnes de gaz remplies de clous dans les poubelles, tout ça... En France, depuis longtemps, nous avons pris l'habitude de vivre avec la trouille au ventre. Ici il y a des flics partout, avec des lunettes noires et des talkies-walkies, mais ils ont encore trop confiance en l'homme. A 30 mètres de Ground Zero, le Pussycat Lounge (96 Greenwich Street) et ses

215

créatures dénudées atteste que la vie continue. Une vodka-tonic plus tard, je passe devant la Federal Reserve, où 10 108 475 kilos d'or sont entreposés à 24 mètres sous terre. Puis j'entre dans la chapelle Saint Paul, miraculeusement intacte : elle date de 1764. Une exposition y rend hommage aux sauveteurs : photos de disparus, choses retrouvées dans les décombres sont alignées dans des vitrines, tubes de dentifrice, couches pour bébés, pansements, bonbons, un crucifix, des feuilles de papier, et des centaines, des milliers de dessins d'enfants. J'ai porté ma main à ma bouche. J'avais cessé de m'apitoyer sur moi-même. Au milieu de cette si gentille douleur se tenait un cynique en larmes.

Encore plus tard, un peu plus haut, au *Carrousel Café*, un autre strip-club, une danseuse en string m'apprend que l'Armée du Salut venait, dans les deux semaines qui ont suivi le Onze, chercher là des glaçons deux fois par jour pour servir des boissons fraîches aux parents des victimes à l'Armory et aux sauveteurs qui travaillaient dans l'extrême chaleur du site fumant.

— Quand le club a rouvert ses portes une semaine après l'attaque, la plupart des filles n'en revenaient pas : il était plein d'ouvriers épuisés qui se jetaient sur les boissons gratuites mais aussi sur nous ! Ils voulaient parler. Il y avait des ambulances et des camions de pompiers qui hurlaient sans arrêt devant la porte. Tout brûlait, les gars avaient besoin de se changer les idées. Je me souviens qu'après avoir ramassé mes fringues elles étaient couvertes de poussière blanche.

9 h 25

D'habitude, dans un restaurant, on fait cuire toutes sortes d'aliments mais pas la clientèle. Ici, le barbecue, c'est nous. Papa est revenu en tirant une gueule de six pieds de long. Lourdes l'a interrogé du regard, il a fait non de la tête.

— Anthony est resté là-bas avec Jeffrey, il a dit, espérant que David et moi on comprendrait pas. Je sais pas pour Dave, mais moi je sais que je comprends tout ce qui se passe. On est bloqués dans cette tour sans pouvoir descendre ni monter. Et cette chaleur horrible. J'ai tellement, tellement chaud. J'arrive pas à penser à autre chose. Je me trouve trop jeune pour mourir. J'ai envie d'étudier l'astronomie, de lire dans les étoiles avec mon télescope, de devenir un savant astronaute de la NASA pour flotter au-dessus de la planète bleue. Dans l'espace, il fait plus frais.

J'ai super envie de pisser alors je lâche la main de papa qui est en train d'expliquer à David qu'il n'est pas Batman.

— Si t'étais Batman, tu dirais que t'es pas Batman, répond David.

— Où tu vas ? me demande papa.

— Faire pipi, je réponds.

— Attends... Non...

Trop tard, je cours dans le couloir enfumé et voilà. Je trouve Anthony allongé par terre et Jeffrey debout qui se regarde dans la glace.

— Il est mort ou quoi ?

— Non : il dort.

— Qu'est-ce que tu fiches ?

— Je réfléchis.

— Bon ben je vais faire pipi pendant que tu réfléchis.

— OK.

Mais j'arrivais pas à pisser. J'attendais mais ça venait pas. Ça m'arrive de temps en temps, de pas arriver à pisser quand y a des gens autour. Fait chier, j'avais l'air con.

— Bon tu vas te décider ou pas, a dit Jeffrey.

— Je peux pas. Je suis coincé.

— Moi aussi je suis coincé. On est tous coincés ici.

J'ai remonté ma braguette. J'essayais de faire bonne figure mais Jeffrey voyait bien que je pleurais. On s'est regardés en chiens de faïence. Jeffrey arrêtait pas de commencer des phrases que je comprenais pas : « Il y a trop de... J'ai pas... Je les ai fait tous venir... Comment on va faire... Je peux pas... » Je sentais qu'il avait envie de parler mais il y arrivait pas. C'est à ce moment-là que j'ai pissé dans mon pantalon.

Quand je suis ressorti des toilettes, papa était là avec David dans ses bras et j'étais supercontent qu'il soit là, surtout qu'il m'a pas grondé du tout. Il nous a portés jusqu'à la sortie de secours. Je lui ai dit qu'Anthony se reposait et que Jeffrey était descendu.

— Comment ça : « descendu » ?

— Il a dit qu'il allait essayer quelque chose pour ses collègues, et il est parti. Il avait l'air bizarre. Il a parlé de descendre par la fenêtre. Tu crois qu'on peut ?

Papa avait l'air préoccupé. Il a senti que j'avais fait pipi dans ma culotte mais il a rien dit. Heureusement sinon David se serait foutu de ma gueule comme un malade. Déjà que j'avais saigné du nez, il m'aurait pas loupé.

— Mes enfants, j'ai l'impression qu'on ne reverra plus Jeffrey.

C'était vraiment affreux, putain.

9 h 26

Je commande un vin blanc au *Pastis*, le restaurant à la mode ouvert par Keith McNally, déjà propriétaire d'un autre restau français : *Balthazar*. Je trouve parfait ce décor de brasserie française reconstitué en plein « Meat Market », même si je déplore qu'il n'y ait pas assez de filles en maillot de bain. J'ai dit à mon amour que j'avais besoin d'aller seul à New York ; cela lui a donné l'idée de me quitter définitivement. Les autres croient que ma vie est drôle mais elle ne l'est pas. Je suis incapable de construire. Je me suis marié, j'ai divorcé. J'ai fait un enfant, je ne l'élève pas. Je suis amoureux, je m'enfuis à New York. Je suis handicapé et je ne suis pas le seul. Je vis dans un no man's land : ni PLAY-BOY INTERNATIONAL, ni MARIÉ ET HEUREUX DE L'ÊTRE. Je suis indécis et personne n'a envie de me plaindre. Je suis foutu et je n'ai pas le droit de protester. Handicapé du cœur : on dirait la chanson d'Enrico Macias, *le Mendiant de l'amour*. N'empêche que c'est infernal le nombre de trentenaires que je connais qui sont dans la même situation. Des infirmes de l'amour. Des hommes majeurs et vaccinés qui se comportent comme des gamins. Sous des dehors fringants, des hommes infirmes. Sans mémoire, sans projets. Ils veulent ressembler à leur père mais en même temps ne veulent surtout pas ressembler à leur père. Leur père est parti et ils ne l'ont jamais retrouvé. Ce n'est pas un reproche : c'est la faute à la société. Les enfants de 1968 sont des hommes sans modèle. Des hommes sans mode d'emploi. Des hommes sans gravité. Des hommes défectueux. Maqués, ils étouffent. Libres, ils dépriment. Même leur psychanalyste est paumé ; il ne sait plus quoi leur dire. Ils n'ont pas d'exemple à suivre. Il n'y a pas de solution au malheur de ma génération. J'ai oublié mon enfance alors que je n'aime que les débuts. Je ne m'occupe pas de mon enfant, moi qui raffole des commencements. Pendant des millénaires on a fait autrement. Il y avait le papa, la maman et leurs enfants dans la même maison. Il y a seulement quarante ans, on a décidé de supprimer le père et on voudrait que tout continue comme avant ? Cela mettra des millénaires à continuer comme avant. Je suis le produit de cette disparition du père. Je suis un dommage collatéral.

Un matin, à 9 h 26, je me suis aperçu que je n'étais plus capable d'aimer quelqu'un d'autre que moi-même. La journée était mon miroir. Le matin, je pensais à ce que j'allais dire à la télé. L'après-midi, je le disais devant les caméras. Le

222

soir, je me regardais le dire à la télé. Parfois je me regardais quatre fois, car il y avait trois rediffusions. La veille, je m'étais regardé au montage d'une autre émission pendant sept heures d'affilée. Je passais mon temps à admirer mon propre visage dans un écran couleur, mais cela ne me suffisait pas. J'appelais mes amis avant l'émission pour leur rappeler l'horaire du programme, et ensuite je les rappelais pour vérifier qu'ils l'avaient regardée. J'organisais des verres où la télévision était allumée pour, disais-je avec une feinte ironie, « me regarder en chœur ».

J'accuse la société de consommation de m'avoir fait comme je suis : insatiable. J'accuse mes parents de m'avoir fait comme je suis : déstructuré.

J'accuse beaucoup les autres pour éviter de m'accuser moi-même.

Aucun souvenir de mon enfance. Des bribes, deux ou trois images. Je suis jaloux des gens capables de vous narrer chaque détail de leur vie de bébé. Je ne me souviens de rien, quelques flashes que je recopie ici dans le désordre et c'est tout. Je crois que je n'ai commencé à exister qu'en 1990, quand j'ai publié mon premier livre : comme par hasard, des mémoires. L'écriture m'a rendu la mémoire.

Par exemple, il y a Verbier, le chalet de mon père, en 1980. C'est une maison d'hommes.

J'aime nos vacances de mecs au ski. Nous nous gavons de fondue tous les soirs et il n'y a pas de gonzesses pour se plaindre de ce régime. Je prépare le feu de cheminée, Charles skie jusqu'à la nuit tombée, papa lit les journaux américains. Et tous les matins, il nous réveille, mon frère et moi, en chatouillant nos pieds qui dépassent de la couette Ikéa, pour se rattraper de ne pas l'avoir fait pendant nos quinze premières années.

Ou aussi quand, à l'âge de dix ans, j'ai commencé à tenir un journal de voyage sur la plage de Bali (Indonésie) entre deux combats aquatiques avec mon grand frère, tandis que papa draguait des nanas ensoleillées au bar de l'hôtel. Je ne savais pas que je ne cesserais plus de noter ma vie sur du papier. Ce petit carnet vert : engrenage qui me broie encore.

J'ai décidé d'enquêter sur moi-même. Plutôt que d'attendre les retours de la « mémoire involontaire » proustienne, je pars en reportage, je reviens sur mes pas.

Je n'ai aucun souvenir de Neuilly-sur-Seine. J'y suis pourtant né, dans une petite clinique blanche. Je suis du Neuf-Deux. De là datent probablement mes goûts de luxe. J'aime la propreté, les jardins rangés, les voitures silencieuses, les maternelles où l'on flingue rapidement les preneurs d'otages. Les gouvernantes allemandes qu'on appelle pourtant « nurses ». Je vois l'enfance comme quelque chose de propre, lisse et globalement chiant.

Je suis né avec le cul bordé de cuillères d'argent. J'aimerais pouvoir vous raconter une enfance douloureuse d'artiste maudit. J'envie Cosette : je n'ai rien vécu de pathétique. C'est pathétique de l'être aussi peu.

Je n'étais pas un enfant désiré. Né dix-sept mois après mon grand frère, je suis un cas, assez banal à l'époque, de deuxième grossesse non programmée. Le garçon qui arrive en avance. Ceci n'est pas un scoop : la pilule n'était pas encore légale en 1965, et la plupart des enfants arrivaient sans être particulièrement attendus. Mais deux enfants font plus de boucan qu'un seul. Je suis forcé d'admettre qu'à sa place j'aurais fait sans doute la même chose que mon père : me barrer vite fait ! C'est d'ailleurs ce que j'ai fait, trente-trois ans plus tard.

Je n'étais pas vraiment prévu au programme, c'est ainsi, ce n'est pas très grave, pendant des millénaires les humains se sont débrouillés avec ça. Et puis, enfin, une fois que j'étais là, j'ai eu beaucoup de chance, je fus choyé, dorloté, gâté, pourri, il serait injuste de se lamenter. De toute façon, les enfants ne sont jamais contents. Soit c'est pas assez d'amour, soit c'est trop. Je ne vais tout de même pas faire comme Romain Gary : me plaindre d'avoir été trop aimé par ma mère ! Il est très important d'être traumatisé par ses parents. Nous avons besoin de l'être. Nous sommes tous des enfants traumatisés, et qui traumatiserons les leurs. Je préfère être traumatisé par mes parents que par des gens que je ne connais pas !

Bon, tout de même, je suis l'enfant qui débarque. Je squatte la vie. Je me suis invité sur cette planète. Il a fallu rajouter un couvert à table pour moi, désolé, il y aura moins de dessert. J'ai depuis toujours ce sentiment étrange d'encombrer les autres. D'où mon goût pour le parasitisme : ma vie est une soirée où je suis entré sans carton d'invitation.

La télévision était un moyen que j'avais trouvé pour me faire désirer. Je voulais des foules agenouillées qui me supplient d'exister. Je voulais des hordes de gens énamourés qui réclament ma venue. Je voulais être choisi, célébré, célébrité. Ridicules, n'est-ce pas, ces petits hasards stupides qui nous font travailler tout le temps au lieu de rester normal ?

9 h 27

Ce qu'il y avait de bien avec Candace, c'était son côté « hasbian » : une ancienne lesbienne connaît mieux son corps et sait exactement où il faut la toucher pour la faire jouir. Les femmes qui n'ont pas couché avec d'autres femmes sont de moins bons coups, de même que les hommes qui ne sont pas bi. Pourquoi je pense à des trucs sexuels au lieu de sauver nos peaux ? Parce que c'est une façon de nous sauver. Tant que je serai un obsédé, je serai. Quand je penserai à autre chose, c'est que je ne serai plus. Jerry me regarde comme il regarde la vie en général : avec une bienveillance pourtant démentie par les faits. Est-ce cela, l'amour ? Une bonté que rien ne justifie ?

— Qu'est-ce qu'on va faire, papa ?

— Je sais pas. On attend ici, ça sert à rien de redescendre.

— D'un moment à l'autre, dit Lourdes, ils vont déposer des équipes de secouristes sur le toit. Ils enfonceront cette porte et on sera les premiers à partir.

— Tu crois ? peut-être qu'il y a vraiment trop de fumée pour se poser...

227

— Ils n'ont pas besoin de poser les « choppers », il leur suffit de lâcher quelques flics au bout d'une corde et des pompiers avec le matériel nécessaire, bon sang, ils sont entraînés à ce genre de missions...

Lourdes retrouve l'espoir, c'est le principal. Il faut toujours que l'un d'entre nous fasse preuve d'autopersuasion dans ce réduit claustrophobe. L'espoir est comme un témoin, une bombe à oxygène que nous nous repassons à tour de rôle.

— Ils vont sauter sur le toit avec les tenues noires et les cagoules et tout ça ? demande Jerry.

— Ben ouais, ils sont pas déguisés en Mickey, Dingo et Donald, dit David.

— Un bon team, avec un chalumeau, il t'ouvre cette porte en moins de trois minutes, même si la serrure est pétée.

— Peut-être qu'ils sauront se connecter sur le système de verrouillage électronique. Genre Tom Cruise dans *Mission impossible*.

— Waow ! Suspendu à un câble, la tête en bas ! trop classe !

Nous avons besoin de croire en quelque chose. Lourdes et Jerry recommencent à prier, psalmodiant « God save us, please save us », les mains jointes en regardant le plafond sale de notre geôle. Pour l'instant, nous sommes toujours en vie.

9 h 28

Les catastrophes sont utiles : elles donnent envie de vivre. New York dans les années 00 est comme Paris dans les années 20, après le massacre de 1914-18. On baptisa les Années folles au champagne, et les Américains venaient à Paris pour s'éclater. Aujourd'hui, après le Onze Septembre, les Années folles sont new-yorkaises et ce sont les Français qui y vont pour se faire insulter. D'ailleurs, personnellement, je prends l'accent espagnol pour être tranquille :

— Olé ! Está magnífico ! Muy muy caliente ! Si si si señorita !

Les New-Yorkais groggys me prennent pour un allié. La Grosse Pomme est un fruit défendu que toutes les Eves du monde croquent à belles dents blanches. Les avions ont construit un vaste bordel. Suis-je exagérément optimiste ? La ville reste en deuil ; c'est peut-être pourquoi tout le monde s'habille de noir. Seuls quelques résistants oublient leur chagrin dans les fêtes, et vivent comme si rien n'avait changé. Mais tout a changé, je m'en apercevrai vite. Seulement je ne fréquente que des récalcitrants.

Par exemple, au bar *Idlewild* dans le Lower East Side, les filles et les garçons ont le torse nu à 9 h 28 P.M. Sur les seins, les demoiselles se font peindre des fleurs. On appelle cette tendance le « swinging lite » : l'échangisme léger. Tout le monde se caresse, s'embrasse, se frôle, mais il n'y a aucune pénétration. De nombreuses soirées s'organisent dans ce style : « Cake » est la plus célèbre.

— Ce n'est pas une orgie ! dit la maîtresse de maison. Simplement une soirée sexy.

Souvent un couple repart avec quelqu'un de sexe indifférent, et on ne peut plus le joindre pendant deux jours... Mais il y a aussi beaucoup d'hommes qui aiment voir leur femme rouler des pelles à une copine, et puis c'est tout. Pour se brancher sur ces soirées : www. cakenyc. com, il y a aussi www. onelegupnyc. com qui est plus hard (par exemple, le mot de passe de leur dernière soirée était « Eat me »). Entrée : 50 $ pour un couple, 15 $ pour une femme seule. Attention : ces soirées finissent tôt parce que tout le monde part assez vite pour baiser ailleurs. Le but de ces fêtes nouvelles : dépasser la fidélité, sortir du couple, inventer des façons de s'aimer autrement, sans sacrifier son désir.

New York est le seul endroit au monde où l'on trouve encore cette espèce rare : des filles en sandales en plein hiver qui boivent des cocktails roses dans des verres triangulaires en se dandinant sur Craig David. Recette du « Cosmo-politan » : Absolut Citron, Cointreau, cranberry et citron vert dans un verre à Martini. Cette traître boisson me rappelle les « Tonios » d'Irún dans ma jeunesse (gin, vodka, grenadine, jus d'orange) : premières cuites de sinistre mémoire, mélanges sucrés dans les veines. Je commande un verre ou cinq. Ben Laden veut du mal à ces filles. Moi je ne veux que du bien à leurs tétons durs dans des débardeurs trop serrés. L'alcool c'est comme l'amour : qu'est-ce que c'est bien au début... Et c'est là que j'ai une révélation. Aujourd'hui le PLAY-BOY INTERNATIONAL est une femme. C'est Bridget Jones, ou Carrie Bradshaw, l'héroïne de *Sex and the City*. C'est d'elles que les islamistes ont peur et comme je les comprends ! Moi aussi elles me foutent les jetons avec leur artillerie lourde : le mascara, le gloss, les parfums orientaux, les dessous soyeux. Elles m'ont déclaré la guerre. Elles m'effraient parce que quelque chose me dit que je ne parviendrai pas à les séduire toutes. Il y en a toujours une nouvelle qui débarque, avec plus de talons aiguilles que la précédente. Le boulot ne sera jamais accompli. Même en écrasant un charter tous les jours sur cette ville, ils n'arriveront pas à endiguer le flot des beautés dangereuses, l'impé-rialisme sexuel des salopes somptueuses avec leur tee-shirt : « I ESCAPED THE BETTY FORD CLINIC », la force de leurs décolletés ravageurs et de leurs cils qui battent quand elles vous foutent un râteau méprisant.

— You're not on my « to-do » list. Ne me drague pas, man. C'est moi qui chasse, ce soir. Scram ! Beat it !

— Un café et un taxi, s'il vous plaît. (Tes seins et tes petites jambes, si tu crois que ça me fait quelque chose. A part une érection, que dal. Alors ta gueule avec tes sandales. Même pas mal.)

Le plaisir remplace-t-il la peur ? Les intégristes sont désintégrés. Leur menace a produit exactement l'effet inverse de celui qu'ils souhaitaient obtenir. L'hédonisme est à son comble. Babylone revit ! Aucune femme ne se voile la face, au contraire, elles se lancent dans des strip-teases au restaurant, jouent à colin-maillard, caressent leurs collègues de bureau et embrassent les garçons qui passent dans les soirées de « speed dating ». Les nouvelles Années folles démarrent dans le libertinage pendant qu'on bombarde des pays lointains. Les êtres se frôlent en riant, et c'est la terreur qui vole en éclats. Le terrorisme ne terrorise personne ; il renforce la liberté. Le sexe danse avec la mort. Il n'y a pas de vainqueurs, il n'y a que des losers comme moi. Quand je rentre dans le cabaret de transsexuels chinois *(Lucky Cheng)*, ils entonnent une vibrante chanson sur l'air de « Joyeux anniversaire » :

— Happy blow job to you ! Happy blow job to you !

Des barbus polygames et fumeurs de haschisch veulent nous donner des leçons de vertu ? OK, les gars, vous avez gagné, on va vivre comme vous : tous polygames et haschischins ! On a tout le temps de déchanter. On rit comme des malades et juste après on a le cafard. C'est ainsi que nous vivons.

9 h 29

Cela faisait trois quarts d'heure que nous avions un avion sous les pieds, quand Jerry a dit qu'il aimerait être une mouche.

— T'es fou! embraya David. T'as déjà vu une mouche sur une vitre? Elle tourne dans tous les sens comme une dingue sans jamais trouver la sortie.

— Il a raison, Jerry. T'as pas besoin de devenir une mouche. T'en es déjà une et moi aussi. Quant à Dave, c'est un moustique. Allez, on fait BZZ BZZ contre les Windows!

Et je me mets à bourdonner comme une guêpe, debout, courant dans toutes les directions. Tête consternée de Lourdes. Air désarçonné de Jerry. Et puis, enfin, ma récompense : le rire de David, qui fait des petites antennes sur son front avec sa serviette blanche. Lourdes applaudit tandis que Jerry nous rejoint et voici que nous vrombissons en chœur en nous cognant aux murs. Anthony a bien choisi l'endroit. Cette pièce reste relativement abritée du reste de la tour, tant qu'on maintient les ouvertures calfeutrées. Lourdes colle son oreille contre la sortie du toit. Régulièrement, elle

234

nous ordonne de nous taire, afin d'entendre si un hélicoptère dépose des sauveteurs. Mais tout ce que nous entendons est le grincement des poutrelles d'acier en train de fondre, les pleurs des brûlés et le murmure sourd et oppressant de l'incendie. Alors c'est David le mosquito qui relance un BZZ, et pique son frère avec son doigt, et la ronde recommence.

Encore une minute de tuée.

9 h 30

Le voyage en Amérique est une grande tradition française depuis Chateaubriand et son neveu par alliance, Tocqueville. Nous aimons regarder l'immensité américaine avec une fascination narquoise. Au XIXe siècle, il y avait le romantisme et les squaws. Au XXe siècle, la naissance du capitalisme mondialisé et de la société de consommation (le New York de Morand et Céline). Au XXIe nous sentons bien que ce système ne tourne plus rond, et que si nous voulons comprendre notre propre disparition, il nous faut remonter Broadway à pied sous la pluie. Affalés sur des potences en bois, les cadres harassés se font masser la nuque sur les trottoirs, abrités par des affiches de cinéma. Les sex-shops ont été remplacés par des Disney Stores. Les enseignes Coca-Cola à cristaux liquides sont en panne : le logo rouge sang clignote nerveusement comme un stroboscope détraqué. Que cherche cette foule mouillée ? L'argent n'est plus son Dieu. Louis-Ferdinand Céline arpenta cette même avenue en 1925 ; il l'évoque dans le *Voyage* en 1932 : « C'est un quartier qu'en est rempli d'or, un vrai miracle, et même qu'on peut entendre le miracle à travers les portes avec son bruit de dollars qu'on froisse, lui toujours plus léger le Dollar, un vrai Saint-Esprit, plus précieux que du sang. » Ce n'est plus pareil, on ne vénère plus le fric, les gens en sont dégoûtés mais ne savent pas comment vivre autrement, alors ils se font masser la nuque, s'allongent sur des divans, trompent leur femme avec leur maîtresse et leur maîtresse avec un mec, ils cherchent l'amour, ils achètent des boîtes de vitamines, appuient sur l'accélérateur, klaxonnent, oui, c'est ça l'universelle course désolée, ils klaxonnent pour qu'on sache qu'ils existent.

C'est une longue histoire en sommeil, la France et l'Amérique. Il est peut-être temps de la ranimer. La France peut encore aider, pour une fois que mon pays servirait à quelque chose. La France n'est pas la mère de l'Amérique – c'est l'Angleterre – mais elle peut prétendre en être la marraine. Vous savez, cette vieille tante moustachue qu'on ne voit que dans les grandes occasions, qui sent mauvais de la bouche, dont on a un peu honte et dont on oublie le plus souvent l'existence, mais qui se rappelle à vous de temps à autre en vous offrant un beau cadeau.

Descendant Madison Avenue, je croise une fille avec une croix noire dessinée sur le front. Puis une autre. Puis deux banquiers avec la même croix sur le front. Je me demande si j'ai la berlue. Pourtant je n'ai rien bu à déjeuner. Il y en a maintenant des dizaines, petits et grands, cadres supérieurs et assistantes de direction, qui se promènent avec une croix tatouée à la suie sur le front. Je me dis qu'il doit y avoir un détraqué à quelques blocs d'ici qui les embobine et leur frotte la tête avec de la peinture noire sans qu'ils s'en aperçoivent. Le trottoir est bondé de gens avec des croix imprimées sur le visage. Je remonte le courant de ces croisés urbains pour finir par comprendre : ils sortent de la cathédrale Saint Patrick. Nous sommes aujourd'hui le mercredi des Cendres. Une file d'attente de plusieurs pâtés de maisons poireaute pour se faire appliquer la cendre sacrée sur le front. Cela donne une idée du climat de la capitale du monde. Des travailleurs de tous les horizons sont prêts à sacrifier leur heure de déjeuner pour qu'un prêtre leur dessine une croix sur la tête avec de la poussière. Je n'ai jamais vu une chose pareille en France.

Autre nouveauté : les habitants de New York sont devenus incroyablement prévenants, serviables, attentionnés, courtois. Je me souvenais de l'individualisme forcené des années 80, où l'on pouvait voir un New-Yorkais enjamber le corps d'un homeless allongé par terre sans ralentir sa marche. Plus rien de tel à présent. D'abord, parce que les homeless ont tous été délocalisés par Giuliani (ou sont morts); mais quelque chose d'autre est arrivé : la politesse apocalyptique. La fin du monde rend généreux. J'ai vu des passants aider un aveugle à traverser la rue sous la neige, une dame ramasser le parapluie d'un homme, deux personnes qui avaient fait signe au même taxi prier l'autre d'y monter à leur place. On aurait dit un film de Frank Capra ! Dix fois, vingt fois par jour, j'ai découvert un hybride impossible, une créature mutante, un être inconcevable : le New-Yorkais altruiste.

Le Onze Septembre a eu deux conséquences diamétralement opposées : gentillesse à l'intérieur du pays, méchanceté à l'extérieur.

9 h 31

Je m'appelle David Yorston et mon père va bientôt se transformer. Il n'arrête pas de nier qu'il est un superhéros mais sa mutation est imminente. Il y a deux minutes, il a imité une mouche : un signe qui ne trompe pas.

— Non, David, je ne suis pas Superman ! Je demanderais pas mieux ! Si tu crois que je suis fier de n'être que moi !

Dénégation classique. Les créatures dotées de superpouvoirs se font toujours passer pour de faibles humains afin de conserver une liberté de mouvement et une autonomie d'action. On sent une forte odeur de chocolat. Yummy.

— C'est la machine à candies du 108ᵉ, dit Lourdes. Elle est en train de cuire.

OK, ça pue. Papa tourne en rond comme un mutant en cage. C'est alors qu'il repère la caméra : une petite boîte grise suspendue au plafond. Il se jette dessus en faisant des moulinets avec les bras.

— Hey! On est là! You-hou!

Il montre Jerry à l'objectif, puis me soulève aussi. Il me fait des bleus aux biceps tellement il serre fort. Sans doute sa superpuissance en train de s'activer.

— They can see us! Hello there! Venez nous chercher!

Il saute en l'air pour tourner la caméra vers la porte qu'il montre du doigt.

— Look at the door! OPEN THE DOOR!

Papa danse le pogo, on dirait les Red Hot à lui tout seul.

Mais ces petites caméras n'ont pas de micro, pas la peine de gueuler comme un putois.

Quelques centaines de mètres plus bas, au centre de contrôle déserté, sur un des nombreux moniteurs du mur d'images en noir et blanc, apparaissaient un quadragénaire gesticulant avec ses deux enfants et une femme taciturne au visage café au lait, assise dos au mur. Les autres téléviseurs de surveillance montraient des bureaux vides aux vitres brisées, des ascenseurs bloqués contenant des cadavres noircis, des couloirs envahis de fumée, des lobbies inondés par les sprinklers, des escaliers remplis de centaines de gens qui descendaient en file indienne, croisant des centaines de pompiers en train de monter en soufflant. Des milliers d'ampoules rouges clignotaient sur le tableau de bord devant les fauteuils abandonnés. Des sirènes hurlaient pour rien. Si jamais Dieu existe, je me demande ce qu'il foutait ce jour-là.

9 h 32

J'allais voir tous les gens que je croisais en leur posant la même question :

— Have you been to *Windows on the World*?

Et tous me regardaient d'un œil méfiant et décontenancé.

— Pourquoi reparler de cette horreur ?

Venant d'un Français, la question semblait obscène et voyeuriste. Je voulais réveiller un restaurant-fantôme. The Ghost diner. Alors je reprenais l'accent espagnol.

— Ma qué esta muy intéressante and I lova youra countrya. Penelopa Cruz she's hot, no ? olé olé !

Plusieurs New-Yorkais m'ont certifié qu'ils n'aimaient plus le ciel bleu au-dessus de leur ville. Le beau temps ici n'est plus synonyme de sérénité. En clignant de l'œil à Hunter S. Thompson, j'aurais pu intituler ce livre : « New York Parano ». Le Département de la Sécurité intérieure conseille au public d'acheter du film plastique et des rouleaux de ruban adhésif pour obstruer les arrivées d'air en cas d'attaque chimique ou biologique.

Aujourd'hui je poursuis ma visite en remontant le long de la rivière Hudson jusqu'à un gigantesque porte-avions amarré au Pier 86 : *L'Intrépide*. Le 25 novembre 1944, il fut attaqué par deux avions kamikazes japonais. Depuis, il a été transformé en « musée de l'Air, de la Mer et de l'Espace ». En réalité, nous avons affaire à un haut lieu de la propagande militaro-nationaliste américaine. Je lis sur le mur d'entrée la devise de l'US Air Force : « Aim high » (viser haut). Des films à la gloire de l'US Army sont projetés devant une assistance clairsemée : des mômes qui sucent des glaces et quelques Japonais dubitatifs. La raison de ma venue : un morceau du fuselage de l'American Airlines 11 est exposé sous verre dans le ventre du porte-avions. J'approche de la relique avec timidité. La présentation est très solennelle. Dans un cube de plexiglas sont déposés précieusement, sur un tapis de poudre grise ramassée sur Ground Zero, quelques objets détruits : un ordinateur portable écrabouillé, des feuilles ronéotées tachées de sang séché. Et au centre de la vitrine, une plaque d'acier calcinée, mesurant environ un mètre carré : je me tiens devant ce qui reste du Boeing qui est entré sous le *Windows on the World*. C'est une pièce de métal tordue, rayée, brûlée. En son centre, on reconnaît un ovale troué dans l'aluminium fondu : le hublot. Les visiteurs se recueillent devant cette fenêtre sur la cendre. Window on the dust. Je me penche, je suis à quelques centimètres du vol 11, sans la vitre je pourrais toucher le premier avion du Onze Septembre.

Je n'ai jamais été plus proche du bain de sang.

9 h 33

COMMENT JÉSUS NE M'A PAS SAUVÉ

Retrouver les apple-pies de maman, dont le fumet montait les escaliers pour me réveiller dans mon lit. Sous un ciel orange comme un feu de cheminée, nous roulons en voiture, petite boîte de métal sous les étoiles. Nous faisions souvent de grandes traversées du Texas, le plus grand Etat des Etats-Unis, avec papa qui conduisait et maman qui dormait, et nous aussi à l'arrière nous ronflions, sauf moi. Moi je faisais semblant. J'écoutais les grosses cartouches de musique, vous vous souvenez ? C'étaient comme de grosses cassettes de la taille d'un livre de poche. On pouvait sauter d'une chanson à l'autre, papa écoutait « Drive my car » sur l'album *Rubber Soul* des Beatles et moi je fredonnais dans ma tête « bee-beep, bee-beep, yeah ! » Ou alors c'était *L.A. Woman* des Doors qui débute avec ce blues infernal intitulé « The Changeling ». Les yeux fermés, j'agitais la tête en rythme et j'avais peur que papa s'endorme au volant, c'est pourquoi je criais intérieurement papa réveille-toi !

— Papa, réveille-toi! Papa, réveille-toi!

Je reconnais la voix de mon fils.

— Hein? J'ai dormi longtemps?

Lourdes m'explique que j'ai eu un moment d'absence, un bref évanouissement. Les enfants sont engourdis, congestionnés comme moi. Les émanations toxiques doivent nous bousiller sans que nous nous en apercevions. J'aimerais me rendormir, retourner dans mon rêve d'enfance en famille. Je commence d'aimer les miens comme on aime son canot pneumatique dans la tempête. Lourdes se met à parler; c'est son tour. Elle dit qu'elle n'a pas réussi à avoir d'enfants, que c'est pour cela qu'elle veut aider Jerry et David, qu'au restaurant on n'a pas besoin d'elle, qu'il faut rester calme, qu'on va s'en sortir, qu'il suffit d'attendre, et je sens qu'elle y croit dur comme fer. Elle parvient à capter le réseau et appelle son frère mort d'inquiétude. Elle lui répète ce que j'ai dit à Mary : préviens les secours, on est sur le toit, on va bien mais la fumée augmente, on ne sait pas trop où aller... Elle ne le rassure pas.

Cette femme est une sainte. Nous côtoyons des anges tous les jours sans le savoir. Elle cherche dans sa poche, et sort un paquet de chewing-gums qu'elle nous distribue en silence. On les met dans nos bouches comme si c'étaient des hosties. Puis les garçons recommencent à jouer avec elle.

246

J'ai délibérément choisi de me séparer de la chair de ma chair. Ces deux garnements me pesaient, je les ai laissés tomber. Je ne peux m'empêcher de considérer tous les hommes qui restent plus de trois ans avec la même femme comme des lâches ou des menteurs. Je voulais envoyer promener le schéma bourgeois familial – un père ne doit pas quitter la mère de son enfant, même s'il aime une autre femme. S'il le fait, c'est un salaud, un beauf, qui n'a pas le sens des responsabilités. Le « sens des responsabilités », c'est tromper sa femme sans qu'elle le sache. Je ne suis pas d'accord. La vraie responsabilité, c'est de montrer la vérité à ses enfants, pas un simulacre artificiel et bidon. La soi-disant société libérée et cool d'aujourd'hui impose comme modèle d'équilibre un amour de carton-pâte. Les sixties ont été une « parenthèse enchantée ». Moi, je voulais dire à mes deux fils qu'il ne faut jamais rester quand on n'est plus amoureux, qu'il ne faut être fidèle qu'à l'amour et envoyer chier la société autant que possible. Je voulais leur dire que l'amour d'un père pour ses enfants est indestructible et n'a rien à voir avec celui de leur papa pour leur maman. Je voulais leur dire ce que mon père ne m'avait jamais dit parce que le sien ne le lui avait jamais dit : je vous aime. Je vous aime mais je suis libre. Je vous aime mais j'emmerde la religion chrétienne. Vous êtes les seuls êtres que j'aimerai plus de trois ans.

Et maintenant j'étais assis là, ému comme un con, à les admirer, douillettement engoncé dans le modèle le plus réac possible, au chaud sur un four, et nous allions bientôt mourir ensemble, et je me rendais compte que j'avais eu tout faux.

9 h 34

A 9 h 34, chez Cantor Fitzgerald, les employés se sont jetés sous leurs bureaux en métal pour carboniser chacun dans leur coin. Les 50 personnes rassemblées dans la « Conference Room » : on ignore si elles priaient, mais dans leurs portables elles disaient beaucoup le mot « God ». Au 92e étage, chez Carr Futures, ils avaient de l'eau jusqu'aux genoux. Deux douzaines de brokers furent asphyxiés en plein meeting, empilés près de la porte comme dans une chambre à gaz. Au 95e étage, l'aile gauche de l'avion a déchiré le plafond, les murs, les fenêtres, le kiosque d'information, et même le marbre de la réception. C'était l'obscurité totale, le sang qui coulait et l'odeur des cheveux brûlés, c'était le silence et les corps inanimés. Dans la tour Sud, chez Keefe, Bruyette & Woods, ceux du département « Investment Banking » sont descendus et ont survécu ; pas les traders. Parce qu'ils ne voulaient pas louper l'ouverture des marchés.

Il neige sur la ville. Sur les trottoirs, une couche de poudre blanche se dépose sur le bitume, venue du ciel comme le Onze, mais naturelle, cette fois. Du haut de la plate-forme d'observation, au sommet de l'Empire State Building, la ville semble couverte d'un drap blanc, comme les sofas d'une maison de campagne endormie. Mais il y a les sirènes de police, et le murmure, la vibration urbaine. Peu de touristes se sont aventurés ici ce matin ; le vent gelé balaie les flocons qui piquent les yeux. Un haut-parleur diffuse une chanson d'Ella Fitzgerald : « In my solituuuude, you hauuunt me. » La vue est opaque mais en insistant je peux distinguer la pierre et l'eau, et même les vagues à la surface de l'East River, rides rondes dans le blanc noir. Au-dessus de ma tête, l'aiguille de l'Empire State, conçue pour l'amarrage des ballons dirigeables, ressemble à la flèche de la tour Eiffel, que les Américains voulaient dépasser depuis 1899, et qu'elle a dépassée en 1931. Je fais le tour de la terrasse : derrière le mur de neige, je vois les cheminées qui fument, comme si New York était une forge grondante, une usine de dix millions d'ouvriers. Différentes strates de gris se superposent sous la nappe blanche comme du sucre glace, et puis soudain c'est une tache orange : la bâche de travaux entourant un immeuble en construction, ou dorée : la coupole d'un buiding, ou argentée : le Chrysler au loin, nacré dans le coton. Un couple d'amoureux me demande de les prendre en photo. Je les hais. Leur insouciance me gifle autant que l'air frais. J'ai envie d'attraper la fille par son col en fourrure et de lui balancer :

— Profites-en. Un jour il ira aux putes avec ses copains et tu le tromperas avec un collègue de bureau à l'hôtel. Tu finiras par le quitter et qui gardera la photo que je vais prendre ? Personne. C'est de la pellicule gâchée, qui finira dans une boîte à chaussures, au fond d'un placard.

Au championnat du monde de l'aigreur, je vise le podium. Mais je ne dis rien, bien sûr, et les immortalise, un baiser dans la glace. En me tournant vers le sud je vérifie l'absence des deux tours. L'Empire State Building peut être content : il est de nouveau le sommet de la cité. Deux immeubles ont voulu contester sa suprématie pendant une trentaine d'années, mais c'est fini maintenant : les seventies sont décédées. L'Empire State est de nouveau le patron, avec ses 381 mètres. Les mouvements de lumière transforment le paysage à chaque instant. Au nord, le Pan Am Building a changé d'appellation : MetLife, j'écris ton nom. De même, le RCA Building se nomme désormais GE Building. Les trois trucs qui modifient le skyline sont : les nuages, les attentats et les changements de marques.

9 h 35

La guerre de l'air : sortir ne serait-ce que le haut de son corps par la fenêtre, fuir la fournaise, ce sont les poumons qui commandent. Jeffrey aide ses collègues du Risk Water Group à trouver des poches d'oxygène au *Windows on the World*. Debout sur le bar. En cuisine, dans le congélateur. A travers les vitres de la face Nord. L'incendie fait rage. D'autres cadres de la société ont réussi à joindre le Fire Department, qui leur a répété les instructions : « ne bougez pas, nous arrivons ». Comme si l'on pouvait bouger. Jeffrey cherche de l'eau mais les robinets n'en versent plus, alors il renverse l'eau d'un vase suspendu au plafond pour humecter les serviettes de son groupe. Il arrache les rideaux rouges pour bloquer, ou du moins filtrer la fumée. Il agite des nappes par la fenêtre où les paquets de gens appellent à l'aide. Jeffrey n'a plus peur. Il devient un héros. Il renverse des tables dans une mare d'eau pour que ses amis puissent passer dans le couloir sans s'électrocuter avec les fils dénudés qui trempent dans la flaque.

Il a vraiment tout essayé pour aider les autres avant de tenter sa chance. Il voulait mettre en pratique son idée, et puis peut-être qu'il en avait marre de voir crever des gens qu'il aimait sans pouvoir les sauver. Il saisit les quatre coins du rideau (deux extrémités dans chaque poing) et se jette dans le vide. Au début, le tissu se gonfle comme un parachute. Ses camarades l'encouragent. Il peut voir leurs visages terrifiés. La vitesse augmente. Ses bras doivent supporter un poids excessif et le rideau se tord. Pourtant il a fait du parapente à Aspen, il sait se servir des vents ascendants. Mais il tombe comme une pierre. J'aurais aimé vous raconter qu'il s'en était sorti, mais on m'aurait fait le même reproche qu'à Spielberg quand il a fait couler de l'eau des douches dans les chambres à gaz. Jeffrey n'a pas atterri élégamment sur la pointe des pieds. Son misérable morceau de textile s'est mis en torche en quelques secondes. Jeffrey a littéralement explosé sur le parvis, tuant un pompier et la brûlée qu'il évacuait. La femme de Jeffrey a appris sa mort par son petit copain. C'est-à-dire qu'elle a appris sa bisexualité en même temps que son décès. Si je voulais raconter de jolies aventures, j'ai mal choisi mon sujet.

9 h 36

Dans *99 francs* paru en août 2000, je filais une métaphore pour décrire la révolution entriste : « On ne peut pas détourner un avion sans monter dedans. » Octave Parango était persuadé qu'il pourrait changer les choses de l'intérieur. Puis, à la fin du roman, il s'apercevait qu'il n'y avait personne pour piloter l'avion. Nommé patron de son agence, il découvrait qu'il ne pouvait pas révolutionner un système autonome, une organisation qui n'a ni chef, ni direction, ni sens. La société capitaliste publicitaire triomphante et mondialisée ? Une machine avide qui tourne à vide. (La métaphore de l'avion sans pilote était empruntée à un film comique américain : *Y a-t-il un pilote dans l'avion ?*) Le 11 septembre 2001, cette image m'est apparue dans toute son atroce signification. Il faut bien monter dans l'avion pour le détourner. Mais si l'avion se suicide ? Nous devenons une boule de feu et on est bien avancé. Si nous montons dedans, nous espérons peut-être changer sa direction, mais si c'est seulement pour foncer dans un building ? La seule révolution possible est extérieure à ce système qui s'autodétruit. Il ne faut jamais monter dans l'avion. Accepter ce monde, participer à la pub ou aux médias, c'est la certitude de mourir dans une gigantesque explosion en direct sur CNN. Aujourd'hui, l'entrisme est devenu une auto-mutilation. La vraie révolution, c'est la disparition. L'essentiel c'est de *ne pas* participer. A la résistance passive, il est temps de préférer la désertion active.

Le boycott plutôt que le squatt.

Cesse donc de blâmer les autres et le monde. En tant que Zola des riches, il est temps que j'écrive : « Je m'accuse ».

Je m'accuse de complaisance dans le narcissisme.

Je m'accuse de séduction maladive.

Je m'accuse de gauchisme de Park Avenue.

Je m'accuse d'arrivisme et de vénalité.

Je m'accuse de jalousie et de frustration.

Je m'accuse de feinte sincérité.

Je m'accuse de chercher encore à plaire par cette auto-mise en accusation destinée à parer les coups à venir.

Je m'accuse de lucidité à deux vitesses.

Je m'accuse d'être allé sur Canal + pour me venger de ne pas être une star.

Je m'accuse de paresse orgueilleuse.

Je m'accuse d'écrire des autobiographies pudiques.

Je m'accuse de ne pas être le Hervé Guibert hétéro.

Je m'accuse de sombrer dans la facilité à 9 h 36.

Je m'accuse de ne pas être capable de beaucoup mieux que la facilité.

Je m'accuse d'être l'unique responsable de ma neurasthénie.

Je m'accuse d'absence totale de courage.

Je m'accuse d'abandon d'enfant.

Je m'accuse de ne rien faire pour changer ce qui ne va pas chez moi.

Je m'accuse d'adorer tout ce que je critique, en particulier l'argent et la notoriété.

Je m'accuse de ne pas voir plus loin que le bout de mes deux nez.

Je m'accuse d'autosatisfaction déguisée en autodénigrement.

Je m'accuse de ne pas savoir aimer.

Je m'accuse de ne chercher que l'approbation des femmes, sans jamais m'intéresser à leurs problèmes.

Je m'accuse d'esthétique sans éthique.

Je m'accuse de branlette intellectuelle (et physique).

Je m'accuse d'onanisme mental (et physique).

Je m'accuse d'imputer à ma génération des défauts qui me sont propres.

Je m'accuse de confondre désamour et superficialité (il n'y a pas de désamour quand on est incapable d'amour).

Je m'accuse de chercher la femme parfaite tout en sachant que la perfection n'existe pas, ceci afin de n'être jamais satisfait et de pouvoir me vautrer dans une confortable plainte geignarde.

Je m'accuse de racisme antimoches.

Je m'accuse de me foutre de tout sauf de moi.

Je m'accuse d'accuser les autres parce que je les envie.

Je m'accuse de vouloir le meilleur mais de me contenter de peu.

Je m'accuse de n'avoir rien de commun avec la ville de New York si ce n'est l'individualisme et la mégalomanie.

Je m'accuse de brûler tous mes vaisseaux, de fuir mon passé, c'est-à-dire moi-même, et de ne pas avoir d'amis.

Je m'accuse de stagnation bruyante et de paternité malhabile.

Je m'accuse d'irresponsabilité chronique, c'est-à-dire de lâcheté ontologique.

Je m'accuse de laver mon linge sale en public depuis 1990.

Je m'accuse de ne laisser derrière moi qu'un champ de ruines.

Je m'accuse d'être attiré par les ruines parce que « Qui se ressemble s'assemble ».

Et maintenant, le verdict :

Je me condamne à la solitude à perpétuité.

L'embêtant, c'est qu'il n'y a pas de cabine téléphonique dans ce local. Clark Kent ne peut pas devenir Superman sans cabine téléphonique pour changer de fringues. Papa ne va quand même pas se mettre tout nu devant Lourdes ! Bon, Jerry et moi, ça nous dérange pas de voir sa zigounette, on la connaît. Mais comment vous voulez qu'il se transforme s'il peut pas s'habiller ? C'est bête mais fallait y penser. Et Jerry qui a fait pipi dans sa culotte, oh l'autre hé ! Il croit que je m'en suis pas aperçu ! T'as rêvé ta race ou quoi ? J'en parle pas pour pas détourner papa de sa métaglucidation protonique. Tout à l'heure je croyais qu'il allait se changer aux toilettes mais il l'a pas fait ; à mon avis c'est pour pas qu'on sache qu'il a des superpouvoirs. C'est vrai, quoi : d'habitude les superhéros ont pas d'enfants, alors lui il est obligé de tout le temps se planquer, c'est dur pour sa gueule. Qu'est-ce qu'il fera quand il sera opérationnel ? très bonne question, je vous remercie de l'avoir posée. Eh bien, il commencera par faire fondre la porte blindée avec les lasers qui sortiront de ses yeux. Après il ira sur le toit et soulèvera la tour avec son ultraforce, puis ira la tremper dans la Hudson River pour éteindre les flammes. Ça fera PSCHHT comme quand maman passe sous l'eau la poêle après avoir fait sauter les pop-corn. Ensuite il remettra la tour à sa place et fera pareil avec celle d'à côté. Ou alors, si c'est trop dangereux pour les gens qui risqueraient d'avoir des bosses, il fera le contraire : il aspirera 100 milliards de tonnes d'eau de la mer et la recrachera sur les Twin Towers. Les deux sont faisables. Sinon il peut aussi fabriquer un toboggan géant en arrachant la bâche d'un échafaudage, y en a plein par ici, et faire glisser les gens jusqu'en bas, ou créer en étirant son corps élastique une passerelle entre les tours, ou (mais c'est vraiment en dernier recours si le reste a pas marché) faire tourner la planète Terre en sens inverse pour remonter dans le temps de deux heures, comme ça rien n'est arrivé et il suffit de dire aux gens de ne pas aller au bureau et c'est cool. Voilà tout ce que mon père va faire quand il va récupérer ses hypercapacités translationnelles.

9 h 38

Le gros souci des Etats-Unis, c'est qu'ils sont à la fois maîtres du monde et plus maîtres de rien. J'ai lu quelque part que David Emil, le patron du *Windows on the World*, porte désormais toujours sur lui un poème de W.H. Auden dans son portefeuille :

> « *The winds must come from somewhere when they blow*
> *There must be reasons why the leaves decay*
> *Time can say nothing but I told you so.* »

Spontanément, depuis mon arrivée à New York, j'ai renoué avec mes vieux réflexes de chroniqueur mondain : éplucher *Time Out* et les flyers trouvés dans les magasins branchés, passer des coups de fil à quelques anciens potes toujours partants pour la bombance, prendre des notes sur les pistes de danse comme quand j'écrivais pour *Glamour* et que j'avais vingt ans... La nuit me semble un thermomètre assez fiable pour mesurer si une ville est malade ou en bonne santé. Celle-ci est dans les vapes, défoncée au chagrin et à une nouvelle marque de vodka : la « Grey Goose », qui est distillée en France. Après quelques bars vides et déprimants, je suis entraîné au *Scores*, le plus grand club de « lap dancing » de la Grosse Pomme. Grande salle noire où des hommes seuls ou en bande paient 20 dollars, non pas pour le strip-tease en lui-même (les filles, sublimes, se déshabillent de toute façon sur le podium), mais pour être allumés, frôlés, envoûtés. Ils paient 20 dollars pour sentir le parfum des cheveux propres sur leur nez, la caresse d'un genou mielleux, le poids d'une main sur leur épaule et la saveur caramélisée d'un cul sur leur blue-jean. Ceux qui ne comprennent pas le lap dancing ne comprendront jamais l'Amérique. Ici on paie pour bander sans baiser. On n'achète pas une femme mais un rêve. Un « eye candy ». Les Etats-Unis sont le pays où les hommes sont prêts à dépenser toutes leurs économies pour humer une virtualité, entrer dans l'imaginaire. Ils ne bandent pas pour rien : ils bandent pour le plaisir de bander. Ils aiment ce qui est inaccessible. C'est puritain (ce sont leurs épouses qui en profitent quand ils rentrent chez eux) mais c'est surtout optimiste, ambitieux, cérébral : contrairement au Français, l'Américain ne veut pas niquer tout de suite, il préfère l'idée du plaisir au plaisir concret, et le fantasme à la réalité.

— What are you writing? me demande Bianca quand je marque cette théorie sur mon carnet.

— Nothing, darling.

Et elle écarte son string pour me montrer sa fente enduite de lotion sucrée. Et tout d'un coup je me sens très franchouillard... Elle respire dans mon oreille, je peux sentir son souffle, elle parle à sa copine Nikki, comme elles sentent bon... (Giorgio de Beverly Hills ?) Les biftons de 20 bucks s'envolent tout seuls dans la douceur suave de la ville convalescente. Ils paient pour être frustrés. Ils estiment que c'est une bonne chose que tous les rêves ne se réalisent pas. En Amérique, les rêves se réalisent non pas parce que les Américains veulent qu'ils se réalisent mais parce qu'ils les rêvent. Ils les rêvent sans se soucier des conséquences. Pour qu'un rêve se réalise, il faut commencer par le rêver. Allez-y, filles à minishorts en Lycra, filles à balconnets pourpres, filles à cheveux auburn, filles à bottines lacées, filles à dents détartrées, filles à seins exagérés, filles qui connaissent par cœur les paroles de J-Lo (« Don't get fooled by the rocks that I got / I'm still I'm still Jenny from the block / Used to have a little now I have a lot / No matter where I go I know where I came from »), filles à stilletos roses, filles à chemisiers ouverts sur soutifs noirs, filles au ventre nu, filles au nombril orné de bijoux, filles avec une petite fleur tatouée au-dessus de la raie du cul, une sorte d'abondance, pluie de filles fraîches renouvelées, échappez-moi ! Les filles d'accord on n'en veut pas. Si vous m'embrassiez ou me laissiez votre téléphone, vous perdriez votre empire.

Plus tard dans la soirée, j'envisage de me commander une escort-girl au Mercer (en composant www.new-york-escorts.com ou www.manhattangirls.net sur l'ordinateur de ma chambre) mais j'hésite car les photos sont trompeuses : on ne sait jamais si l'on va tomber sur une jolie ou une moche. Or je ne suis pas assez beurré pour me taper une moche. Ou trop amoureux ?

9 h 39

Lourdes vient d'apprendre sur son pager d'infos que le Pentagone a aussi été touché. C'est la guerre totale. Que fout l'armée américaine ? Est-il réconfortant de savoir qu'on n'est pas seul à mourir ? Non. Si j'avais su que j'allais crever ici, j'aurais vécu autrement. J'aurais baisé sans préservatif. J'aurais plaqué Mary plus tôt, voyagé davantage, essayé l'héroïne et l'opium. J'aurais fait moins d'études et perdu moins de temps dans des thalassothérapies. J'aurais tenté plus souvent ma chance avec les femmes au lieu d'avoir sans cesse la trouille d'être humilié. J'aurais dû être un gangster, braquer des banques au lieu d'obéir bêtement aux lois. J'aurais dû épouser Candace pour qu'elle fasse une jolie veuve. Je n'aurais pas arrêté de fumer. Pour protéger quoi ? ma santé ? J'aurais fondé un groupe de rock, quitte à crever la dalle, plutôt que de faire un métier gonflant pour l'argent.

J'aurais viré mon boss beaucoup plus tôt. J'aurais vécu à New York, porté un long manteau noir et des lunettes de soleil en pleine nuit, mis de la crème autobronzante toute l'année et dîné dans des restaurants où quelqu'un a dû éteindre la lumière, à moins que ce ne soit une panne d'électricité – pourquoi ils sont tous éclairés à la bougie dans les pays riches ? La pauvreté est le luxe des riches. J'aurais acheté plus de voitures : quel gâchis, tout cet argent que je ne dépenserai jamais. J'aurais essayé de me faire cloner. Je me serais rasé la tête, pour voir. J'aurais dû tuer des gens, pour voir. J'aurais dû prendre plus de risques puisque, de toute façon, j'ai tout perdu.

Ou alors j'aurais simplement dû essayer d'être un homme meilleur.

9 h 40

Je voudrais inventer un nouveau genre :
l'autosatire. Je voudrais savoir pourquoi j'ai
tout oublié. Pourquoi je raye mon passé sur mes
agendas. Pourquoi il faut que je sois ivre mort
avant d'être capable de parler à quiconque.
Pourquoi j'écris au lieu de crier.

Je n'ai jamais vu mes parents mariés
ensemble. Je ne les ai connus que divorcés et
obligés de se voir à cause de moi. Amis, mais
pas amants. Je ne me souviens pas de les voir
s'embrasser autre part que sur les joues. Est-ce
grave ? Non, puisque j'ai fait la même chose
qu'eux. D'ailleurs, la majorité des gens font
pareil : se quitter après la naissance d'un enfant
est presque devenu la norme. Mais si ce n'est
pas grave, pourquoi suis-je si ému d'en parler ?

Une définition du bonheur : la pêche à la cre-
vette à Guéthary. J'ai six ans. Mon grand-père
porte les filets à papillons (nous pêchions les
crevettes dans des filets à papillons, si Nabokov
voyait ça !). Le bonheur, c'est la plage de
Cenitz à marée basse, quand les rochers piquent

les pieds, avec le sel sur le dos et le soleil en haut. A l'époque, il n'y avait pas de marée noire. C'étaient de belles expéditions, sauf pour les crevettes, qui finissaient ébouillantées vivantes dans l'eau de mer. Pourquoi le bonheur ressemble-t-il à Guéthary ? C'est sûrement un hasard si c'est à Guéthary que mes parents se sont rencontrés, aimés et mariés.

Je suis vide, je veux me défoncer la tête, baiser à couilles rabattues et lire des livres moins bons que les miens. Tout ça pour oublier que je n'ai aucun passé et que je sonne creux.

Quand j'avais cinq ans, au moment du divorce de mes parents, je saignais tellement souvent du nez que les médecins ont pensé que j'avais une leucémie. Moi, j'étais juste content de sécher l'école pendant des mois.

Ma devise : deviens ce que tu hais.

Pourquoi voulons-nous tous être des artistes ? Je ne rencontre que des gens de mon âge qui écrivent, jouent, chantent, tournent, peignent, composent. Cherchent-ils la beauté ou la vérité ? Ce n'est qu'un prétexte. Ils veulent être célèbres. Nous voulons être célèbres parce que nous voulons être aimés. Nous voulons être aimés parce que nous sommes blessés. Nous voulons avoir un sens. Servir à quelque chose. Dire quelque chose. Laisser une trace. Ne plus mourir.

Compenser l'absence de signification. Nous voulons cesser d'être absurdes. Faire des enfants ne nous suffit plus. Nous voulons être plus intéressants que le voisin. Et lui aussi veut passer à la télé. C'est la grande nouveauté : notre voisin aussi veut être plus intéressant que nous. Tout le monde jalouse tout le monde depuis que l'Art est devenu totalement narcissique.

A Times Square vient d'ouvrir un Toys"Я"Us géant, encore plus immense que le grand magasin de jouets FAO Schwarz. Je monte les escalators du mégastore, un immeuble de cinq étages rempli de cadeaux, de musiquettes, de couleurs criardes, de produits dérivés. Je suis attaqué de tous les côtés par des robots géants, des tyrannosaures gentils, des Playstation 2, 3, 8, 47... Pourquoi ces endroits me flanquent-ils un cafard atroce ? Le jouet est devenu l'une des principales industries de l'Amérique. Chaque jour ouvre un nouveau mégastore Disney ou Toys"Я"Us. Ce sont des endroits où les parents dépensent de plus en plus d'argent pour déculpabiliser. Ce sont des endroits où les enfants acceptent des cadeaux pour fuir la réalité. Ce sont des mégastores permettant aux enfants de fuir leurs parents, et réciproquement.

9 h 41

— So, Dad, you're not a super hero ?

C'est à 9 h 41 que David, qui n'avait jamais pleuré de sa vie, s'est mis à pleurer. Oh pas tout d'un coup, non, il prenait son temps pour découvrir ce qui lui arrivait. Les coins de sa bouche se sont affaissés, formant un accent circonflexe, comme dans les comic-strips de Charlie Brown. Ensuite, ses yeux ont triplé de volume. Il fixait la porte hermétiquement close, sa serrure condamnée, sa poignée inutile, son panneau en plastique rouge sur lequel était inscrit le gros mensonge : « EMERGENCY EXIT ». Soudain sa lèvre inférieure s'est gonflée, remontant vers son petit nez, et son menton s'est mis à frissonner nerveusement. Au début, Jerry et moi on s'est regardés, interloqués : qu'est-ce que c'était que cette nouvelle grimace ? C'était bien le moment de tester de nouvelles têtes sur sa petite famille. David se frottait les cheveux sans trop comprendre ce qui lui arrivait. On pouvait entendre sa respiration accélérer. J'ai cru qu'il s'étouffait à nouveau ; il y avait pourtant moins de fumée ici que tout à l'heure. Son souffle s'emballait comme si un Alien, enfoui en lui depuis des lustres, cherchait la sortie. David l'impassible, David la solidité incarnée, David le flegmatique, était en train de fondre en larmes pour la première fois. Sa bouche s'est ouverte en grand pour laisser échapper un cri de rage. Il balbutiait des syllabes désespérées : « but, but, why, but, it's, we, but, what... » qui, additionnées les unes aux autres, ont fini par former un grand « WAAAAAA » lequel déclencha la fontaine des yeux, de grosses gouttes qui roulaient sur ses joues roses. Jerry me regardait intensément pour ne pas craquer, mais comme je craquais, il craqua aussi. Nous nous sommes serrés très fort dans les bras comme une équipe de football à la mi-temps, sauf que nous n'avions pas de casques, et que nous pleurions parce que nous perdions la partie.

Je pensais que faire des enfants était le meilleur moyen de vaincre la mort. Même pas vrai. On peut mourir avec eux, et c'est comme si aucun d'entre nous n'avait jamais existé.

9 h 42

Difficile d'imaginer une ville plus fragile. Une telle concentration de monde sur un espace si réduit en fait une cible tentante pour les destructeurs en tous genres. Si l'on veut causer le maximum de dégâts avec le minimum d'efforts, New York semble l'objectif idéal. Et ses habitants le savent désormais : les tours sont vulnérables, cette cité est un tas de ferraille potentiel, un monument de cristal. Jamais dans l'histoire de l'humanité un endroit aussi puissant n'a été aussi facile à anéantir. Pourtant des gens intelligents continuent d'y vivre. Comme à San Francisco : ils savent qu'un jour un monstrueux tremblement de terre fera sombrer la ville dans l'océan, mais ne fuient pas. Encore un admirable phénomène américain : New York comme San Francisco sont des mégapoles au destin apocalyptique mais personne ne songe à les déserter. Le caractère du New-Yorkais est forgé par cette contradiction : la conscience de la menace n'empêche pas la frénésie de la vie, au contraire elle en constitue le carburant.

Souvenirs amnésiques de la nuit américaine de ma jeunesse... Ronald Reagan était président... tous les soirs on avait le choix... La *Danceteria* et ses cinq étages... Le *Palladium* et ses chiottes décorés par les derniers graffitistes... Le *Webster Hall* et sa file d'attente... L'*Area* qui changeait de déco tous les mois, avec des figurants dans des cages de verre... Le *Nell's* comme un grand appartement privé... L'église néogothique du *Limelight*... Le *Club USA*... Connaissez-vous beaucoup de nations où une boîte de nuit porte le nom du pays ? Tous ces endroits évanouis... Disparus dans la brume du passé et l'amnésie des fêtes lointaines... Et aujourd'hui, plus rien... Lounges tamisés... Clientèle clairsemée... Clubs microscopiques et pourtant vides... Restaurants lisses... Caves éclairées à la bougie. Magie révolue.

9:42 P.M. Je rends visite à un grand écrivain français âgé de 80 ans, dans un appartement mis à sa disposition par la New York University. Son épouse m'explique que tous les clubs sadomaso ont fermé : le *Vault*, le *Hellfire*, la *Nouvelle Justine* n'existent plus. Ce soir, elle se rend à la « Submit Party » mais ne peut m'emmener car la soirée est réservée aux filles. J'ai apporté une bouteille du vin rouge californien de Francis Ford Coppola mais le grand écrivain ne l'ouvre pas, il préfère me servir un verre de xérès ayant un goût de sirop d'érable.

J'ai l'impression de boire des pancakes; c'est exquis. Je me sens infiniment bien chez ce couple libre et heureux, marié depuis 1957. Le grand écrivain me raconte sa rencontre avec William Burroughs à *La Coupole*. Un type sinistre, comme tous les drogués.

— Il a tué sa femme, dit-il en regardant la sienne. Mais pour ça, il l'a emmenée au Mexique.

— Si tu m'emmènes au Mexique, je me méfierai! rétorque-t-elle en souriant.

Je leur apprends qu'il existe un nouveau bar à Soho nommé le *Naked Lunch*. Le grand écrivain plaisante :

— Est-ce qu'on est obligé d'y déjeuner à poil?

Son dernier roman vient d'être traduit ici, sous le titre : *Repetition*. Puis le grand écrivain m'apprend que je vais être publié aux Etats-Unis et que nous allons bientôt fêter cela en dînant avec son ami Edmund White. Le rapprochement s'opère entre mes origines et moi-même. Je reviens vers le pays de ma grand-mère. Je ne suis pas arrivé à me débarrasser de mes racines, mon histoire, mon sang. L'homme pas si mondial que ça, ancré quelque part malgré lui.

— Pourquoi venir à New York pour écrire dessus? me demande le grand écrivain en caressant sa barbe blanche. Moi, quand j'écris un roman qui se passe à Berlin, je ne vais pas à Berlin pour l'écrire.

— C'est que je fais de l'ancien roman. Je laisse la nouveauté aux jeunes comme vous !

Un peu plus tard, au *Thom's Bar*, réchauffé par un feu de cheminée et une frozen margarita, j'envisage de demander ma fiancée en mariage pour que ce livre finisse bien. Tu vois, j'aimerais que nous soyons libres et beaux pendant cinquante ans, comme les Robbe-Grillet.

9 h 43

La lumière s'éteint, puis se rallume. Les ampoules se mettent à clignoter comme des loupiotes de boîte de nuit. Puis il fait nuit noire. Mes deux enfants crient de désespoir dans l'obscurité. Nous sommes au fin fond de l'enfer. Je n'ai plus le choix. Soit nous attendons de crever ici, soit nous redescendons au restaurant. Je n'hésite pas longtemps, c'est trop horrible d'être immobile.

— Venez les chéris, on va redescendre.

Ils pleurent de plus belle. Je leur serre les mains et nous nous levons. Lourdes fait non de la tête, elle préfère rester. Nous la prenons longtemps dans nos bras. Elle enlève son pin's du *Windows on the World* et me le tend comme une relique.

— On se retrouvera, ici ou ailleurs.

— Tu es béni, Carthew. Avec tes deux petits anges à tes côtés.

— Tu es sûre que tu ne veux pas redescendre ?

— Priez pour moi. Il va ouvrir la porte et je viendrai vous chercher. Allez-y ! Ouste !

Et nous la laissons, assise dans le noir, belle comme le monde.

En passant dans les bureaux du *Windows*, je trouve un i-Book allumé sur le Net. J'en profite pour taper un mail à Candace en quatrième vitesse sans relire ni corriger les fautes de frappe. « Canda, tu m'as trompé parce que je n'avai pas l'air sérieux. So what ? Cela n'a aucune importanc, ton corps n'est pas à moi. Seul nous appartient notre solitud, et tu as interrompu la mienne avec ta gaieté, tes lèvre rose, ta tristess, ton sexe glabr. J'avais peur de dir "Je T'M". Je suis pauvre con de ne pas t'avoir cru important. Je découvr que je n'ai pas d'autre souvenir que toi. Candae, essai de me pardonner. Je vais mourir ici, chaque minute me rend plus faibl, et tu peux me sauver, quand je repense à nous, je vois que j'essayais d'être quelqu'un d'autre, je jouais un rôl, je ne sais ce que j'attendai de toi, que tu me touche, mais tu m'as auvé, tu es entré tro tard dans ma vie, j'avais déjà tou fait, tu n'as pa obtenu la place que tu méritai, je ne sais pas par où commencer, mais j'ai une excuse c'est parce que je suis en train de finir. N'oubli pas Ton Carthe. » Bon, en fait, ça c'est ce que j'aurais aimé écrire si j'avais eu le temps. Le mail qu'elle a reçu était plus court : « I loved U. C.Y. »

J'enjambe un tas de CD-R enregistrables renversés, une étagère s'est brisée et les cutters de bureau sont dispersés sur le linoléum.

9 h 44

« I am dazzled by the glorious collapse of the world. »

HENRY MILLER,
Printemps noir.

Je ne suis pas célèbre. Je suis un peu connu dans le milieu parisien des Lettres. Ma petite notoriété est ridicule comparée à celle d'un comédien ou d'une rock-star. Je peux me promener dans la rue sans être trop harcelé par des fans. Je continue d'être obligé d'épeler mon nom quand je réserve un billet d'avion ! Tant que les gens ne sauront pas prononcer « BÉG-BÉDÉ » correctement, j'aurai encore du progrès à faire vers la staritude.

Cependant, je deviens fou : je collectionne les articles de journaux où mon nom est mentionné. Je les découpe et les range dans un classeur pour les montrer à ma fille, dans vingt ans, quand je serai un has-been :

— Tu vois chérie ? Papa a été très connu dans sa jeunesse. Quel dommage que tu n'aies pas vu ça ! Les gens m'adoraient, je t'assure,

277

demande à ta mère, c'était ingérable, c'est pour ça qu'elle m'a foutu à la porte !

— Mais oui, mais oui, papa, tu as été une star, bien sûr... Tu me l'as déjà montré quarante fois cet album... Et puis arrête de dire des conneries, je sais très bien pourquoi elle t'a viré et ça n'a rien à voir avec ça. C'est juste que t'es invivable.

— Mais euh... tu m'aimes ?

Ici je préfère ne pas imaginer quelle sera sa réponse dans vingt ans.

Après le succès, certains jouent l'absence ; moi j'ai misé sur l'omniprésence, la surexposition. Je ne vois pas pourquoi je disparaîtrais sous prétexte qu'on m'aime bien. Je préfère attendre que tout le monde soit bien dégoûté de moi pour m'évaporer à tout jamais. Ce moment approche.

Dans mes accès de paranoïa, il me semble que le système a tout organisé pour disqualifier ma rébellion, en me donnant l'argent, le succès, la renommée qui ridiculiseraient mon propos pseudo-révolutionnaire. J'ignore encore si cette confortable punition fonctionnera. Le luxe peut-il bâillonner quelqu'un ? La gloire peut-elle être le deuil éclatant de la révolte ? Ce fut la méthode employée par Enver Hoxha quand il nomma Ismail Kadaré député. Il s'agit d'invalider la complainte de l'écrivain en le rendant puissant. Comment croire en ce que les

Américains appellent la « Left limo » et que nous avons baptisé chez nous la « Gauche caviar » ? Peut-on être riche et favorable au changement ? Oui : il suffit pour cela de cultiver l'ingratitude. Etre un « bobo » ou un « RiRe » signifie seulement que l'on n'est pas sorti de l'âge ingrat. C'est très bien d'être un bourgeois bohème ; c'est mieux que d'être un bourgeois tout court. J'en ai marre qu'on me reproche d'être un enfant gâté qui casse ses jouets. Je les casse pour en créer d'autres.

9 h 45

Mon ancêtre John Adams a signé un traité avec la Libye à Tripoli le 10 juin 1797, indiquant à l'Empire ottoman (alors suzerain du Maghreb) que l'Amérique n'était « en aucune façon fondée sur la religion chrétienne ». Il n'y a pas de croisade américaine contre l'islam ! La première guerre d'Afghanistan était contre les Russes, pas contre les Afghans ! Une alliance s'est alors dessinée entre les « Born Again christians » et les wahhabites saoudiens (disciples de Mohammed Ibn Abdelwahhab, 1703-1792, le « Calvin des Sables »). On oublie souvent de rappeler que l'islam se réclame, comme les judéochrétiens, de l'héritage d'Abraham. La religion au pouvoir en Amérique est une sœur ennemie de la religion fondamentaliste musulmane. Nous assistons à une nouvelle Saint-Barthélemy ; Jerry et David sont victimes de la Saint-Barthélemy des pays producteurs de pétrole. Les intégristes chrétiens affrontent les intégristes musulmans : je vais mourir à cause d'une querelle incestueuse entre deux sectes de milliardaires.

Mais je n'y ai jamais cru, moi ! Mes parents militaient contre l'avortement, contre l'alcool, contre la prostitution et l'homosexualité, mais maman prenait la pilule, papa buvait tous les soirs, et les putes et les pédés ont envahi le Texas comme le reste du pays ! Je n'ai jamais approuvé leur éducation ; à l'université j'ai même milité un court instant pour le parti communiste américain, rien que pour emmerder papa qui soutenait Ronald Reagan ! Pourquoi je devrais payer pour eux ? Prenez mes parents, ils ont fait leur temps, eux et leur « conservatisme compatissant » ! J'étais marxiste, bordel, pas évangéliste ! Oh my God, je perds la boule...

— Papa ? J'ai mal à la tête...

— Respire par la bouche.

Nous descendions dans le nuage noir du *Windows on the World*.

9 h 46

New York est un boudoir où l'on vous sert de la mousse de saumon partout, ou du mille-feuille de saumon, ou du saumon tout court. Qu'est-ce qu'ils ont avec le saumon ? Ils ne mangent rien d'autre. A Paris, ce sont les « salades aux jeunes pousses du moment », ici les pavés de saumon, les tartares de saumon. Paradoxalement, le quartier à la mode se nomme le Marché de la Viande.

Les clubs du Meatpacking District obéissent au nom de leur arrondissement : effective-ment, ce sont des boucheries. Les mannequins dansent comme des bouts de barbaque suspen-dus à des crochets. Je demande à un New-Yorkais coké jusqu'aux yeux où il va pour se reposer de cette ville d'excités. Il me répond Ibiza. Certains New-Yorkais sont vraiment irrécupérables. On ne peut plus les sauver de leur apocalypse. Beauté de l'acharnement.

Le videur du *Cielo* n'a pas l'air open-minded.
— Are U on the list ?
— Euh... yeah, sure...

— Your name, sir ?

— My name is Oussama. Oussama Ben Fucking Laden, OK ?

Il faut savoir courir vite après une blague aussi pourrie devant un physio.

C'est rare, un écrivain qui a peur du livre qu'il est en train d'écrire.

Au *Taj*, j'admire une blonde en noir aux cheveux longs, grande, triste, entourée de frères. Je ne sais plus comment je l'aborde. Peut-être en renversant mon verre sur elle, bousculé par un jeune Français déchiré. Je lui demande pardon et j'essuie mon apple martini sur ses seins blancs. C'est là qu'elle m'explique que ses gardes du corps vont me péter la gueule. Je lui demande de les raisonner. Elle rigole, me présente ses deux frères géants. Je remarque que son vernis à ongles est de la même couleur que son bubble-gum. Je lui demande où elle va après. Quand on est un inconnu dans une ville lointaine, autant en profiter pour être direct. Elle dit qu'ils vont au *Lotus*. Puis elle disparaît dans la foule. Je prends un taxi pour l'attendre au *Lotus*. Une heure après, je suis torché quand elle arrive, accompagnée de ses cerbères. Elle sourit en me reconnaissant. Pour plaire à une Américaine, il faut lui donner des gages de ténacité. Tous ses gestes sont jolis. Elle semble être touchée par ma présence, mais embarrassée par ses frères surprotecteurs. Elle vient me parler en me touchant le bras. Je lui dis que j'ai toujours rêvé de faire des enfants à un mannequin. Elle me demande si je suis français. Je prends l'accent espagnol. Elle a un rire cristallin. Je lui sers un verre qu'elle avale d'un trait. Les New-Yorkaises sont cristallines mais dures. C'est elle qui se penche vers ma bouche. Elle m'embrasse, sa langue est froide et mouillée à cause des glaçons. Son cou sent le savon. Je me demandais si ma bite serait en état de fonctionner ce soir, mais ça va, je bande tout de suite. Je lui demande comment elle s'appelle. Elle me répond Candace. Je lui demande où je l'ai déjà vue. Elle me répond sur les affiches Victoria's Secret. Elle me demande ce que je fais dans la vie. C'est souvent la question que posent les New-Yorkaises, et après elles calculent mentalement votre salaire. Je lui dis que j'écris un roman sur le *Windows on the World*. Son visage se ferme. C'est comme si je lui avais donné un coup de massue. Elle me dit qu'elle doit rejoindre sa petite bande, qu'elle revient tout de suite. Elle ne revient jamais.

9 h 47

Saviez-vous qu'il y avait deux tours de Babel ? Les archéologues sont formels. A Borsippa, le long d'un bras de l'Euphrate, à quelques kilomètres au sud de Babylone sont situées, aujourd'hui encore, les ruines de la Ziggurat, construction que la tradition locale, musulmane et chrétienne, affirme constituer la première tour de Babel (Maison des sept conducteurs du ciel et de la terre). Ces restes s'élèvent encore actuellement à 47 mètres avec un pan de mur au sommet. La légende locale dit qu'une comète, envoyée par Dieu pour punir les blasphémateurs, se serait écrasée sur son faîte, provoquant un incendie dont les briques noircies portent encore les traces (vous pouvez vérifier sur place).

Mais il y eut une deuxième tour, un peu au nord. Reconstruite à Babylone, la seconde tour de Babel a été détruite au fil des siècles et des invasions. Aujourd'hui il ne reste que les traces de ses fondations, mais selon Hérodote (Ve siècle avant J.-C.), qui en aurait gravi les escaliers, elle mesurait 91 mètres de haut et comportait 7 étages.

Il était une fois les Twin Towers de Babel... en Irak.

9 h 48

Art Spiegelman a trouvé le mot juste : il a dit que les New-Yorkais se tournaient vers le World Trade Center comme si c'était La Mecque. Les tours comblaient-elles un vide spirituel ? Elles étaient les deux jambes sur lesquelles reposait le mythe américain. On a du mal à imaginer ce que c'était que le World Trade Center à la tombée du jour, deux colonnes de lumière, et vus de plus près, les milliers de petits carrés jaunes, les fenêtres allumées de petits bureaux, échiquier géant de verre poli, où des milliers de marionnettes décrochaient leur téléphone, tapaient sur leur traitement de texte, allaient et venaient, un gobelet de décaféiné à la main, brandissaient des feuilles de papier très importantes, envoyaient des mails essentiels au monde entier, ces mille feux dans le crépuscule, cette fourmilière lumineuse, cette centrale atomique d'où tout partait et où tout aboutissait, le phare du monde invincible, ce glaive qui transperçait les nues, dans le jour déclinant, qui servait de repère aux New-Yorkais quand le ciel rougissait et qu'ils sentaient leur âme se perdre.

9 h 49

Au *Windows* les rares survivants entonnent le *God bless America* d'Irving Berlin (1939).

« *While the storm clouds gather far across the sea*
Let us swear allegiance to a land that's free
Let us all be grateful for a land so fair
As we raise our voices in a solemn prayer

God bless America, land that I love
Stand beside her and guide her
Thru the night with a light from above
From the mountains to the prairies
To the ocean white with foam
God bless America, my home sweet home
God bless America, my home sweet home. »

« Tandis que les nuages de l'orage s'assemblent au
        loin sur la mer
Jurons allégeance à un pays qui est libre
Soyons pleins de gratitude pour un pays si juste
En élevant la voix dans une prière solennelle

Dieu bénisse l'Amérique, la terre que j'aime
Tiens-toi debout à ses côtés et guide-la
Dans la nuit de ta lumière du ciel

Des montagnes aux prairies
Jusqu'à l'océan blanc d'écume
Dieu bénisse l'Amérique, ma maison douce maison
Dieu bénisse l'Amérique, ma maison douce maison. »

(chapitre à lire au premier degré)

9 h 50

Ce qui a changé par rapport aux années 80 : à l'époque les New-Yorkais disaient « hi » ; maintenant ils disent « hey, what's up ? » Leur façon de dire bonjour est moins délicate, plus étonnée. Je me souviens de « Hi » comme d'un salut souriant, courtois, content de te voir. « Hey » résonne autrement après la catastrophe. Je l'entends comme un « tiens ? qu'est-ce que tu fous là ? bravo à toi d'être toujours en vie ». Mais je dois encore être paranoïaque. Je tourne autour des buildings comme un vautour en quête de cadavres. J'erre par les rues verticales en humant le malheur frais. L'écrivain est un chacal, un coyote, une hyène. Donnez-moi ma dose de désolation, je cherche une tragédie, vous n'auriez pas une petite atrocité sous la main ? Je mastique un Bubble Yum et le deuil des orphelins.

Certains critiques disent du cinéma qu'il est une « fenêtre sur le monde ». D'autres disent cela du roman aussi. L'art est une Window on the World. Comme les glaces fumées des tours de verre, dans lesquelles j'aperçois mon reflet,

290

grande silhouette courbée en manteau noir, héron à lunettes déambulant à vastes enjambées. Je fuis cette image en accélérant le pas mais elle me suit comme un oiseau de proie. Ecrire un roman autobiographique non pas pour se dévoiler mais pour disparaître. Le roman est un miroir sans tain, derrière lequel je me cache pour voir sans être vu. Le miroir dans lequel je me regarde, je finis par le tendre aux autres.

Quand on est incapable de répondre à la question : « Pourquoi ? » il faut au moins tenter de répondre à la question : « Comment ? »

La tristesse n'empêche pas les riches vieilles dames de continuer à promener leurs petits chiens sur Madison Avenue, et les vendeurs à la sauvette d'étaler leurs faux sacs Gucci sur le trottoir, à un bloc du vrai magasin Gucci. Il y a toujours ces vernissages où tout le monde est habillé en noir, ces boîtes où il faut être sur la liste à l'entrée, ces hôtels où tout est beau, la déco comme les clients. Toujours dans le souci de remonter dans le temps, j'entre à 9 h 50 au 95 Wall Street pour voir si une réminiscence proustienne va s'enclencher en moi en revoyant l'immeuble où j'ai travaillé dans les années 80. Sur le mur du hall, il y a toujours le logo « Credit Lyonnais », mais le réceptionniste m'explique que la French Bank a déménagé midtown depuis longtemps. Comment passer de Proust à Modiano en dix secondes ? Le lieu déserté. Le regard suspicieux du concierge.

Les agents de sécurité taciturnes. Les hommes d'affaires mystérieux. La mémoire floue. Ai-je vraiment passé toutes mes journées ici ? J'ai beau attendre, rien ne remonte à la surface.

— Sir, you can't stay here.

Le trapu en uniforme s'approche à pas lents.

— But I worked here a long time ago...

J'ai pris l'accent espagnol mais rien à faire. Je suis éjecté par mon passé. Mon passé ne veut pas de moi. Mon passé me raccompagne dans la Revolving Door. Je dois lui tourner le dos, une fois de plus.

9 h 51

WILD TRADE CENTER

Cat Stevens chantait « Ooh baby baby it's a wild world ». J'avais tous ses disques. Cat Stevens était mon idole avec Neil Young et James Taylor. Tant de chansons si bouleversantes, de précieuses miniatures si fines et cristallines. La musique d'*Harold et Maude*. Des paroles absolues sur des mélodies déchirantes, lyriques mais évidentes. Comme si cet auteur-compositeur-interprète avait été touché par quelque chose de plus grand que lui, comme s'il avait eu accès à une force supérieure. « Quand j'étais seul, a-t-il déclaré, les chansons arrivaient toutes seules. »

*« Times leaves you nothing
Nothing at all »*
(*Time*, 1970)

*« Oh mama mama see me, I'm a pop star
Oh mama mama see me on the TV »*
(*Pop Star*, 1970)

« Trouble oh trouble set me free »
(*Trouble*, 1970)

Le grand thème de Cat Stevens, c'est la perte de l'innocence. Le début de *Where do the children play?* résonne bizarrement à 9 h 51 :

> « *Well I think it's fine building Jumbo planes (...)*
> *Will you tell us when to live*
> *Will you tell us when to die?* »

Je pourrais faire le jeu des prémonitions de la catastrophe en citant *Morning has broken, Home in the sky* et aussi une chanson plus ancienne : *The view from the top can be oh so very lonely* (1967).

Cat Stevens avait la simplicité des vrais poètes, mais pour moi il incarnait plus que ça. Il était mon frère en solitude, mon ami, mon compagnon de route. Dans ma chambre du Texas, je restais des heures, pieds nus sur mon lit, à regarder les pochettes de ses albums. Sa guitare sèche me procurait un sentiment de paix. A l'époque les pochettes de disques mesuraient douze pouces. Quand elle a remplacé les vinyls par les CD's, la musique est devenue « l'industrie du disque ». Elle a envoyé un message : la musique ne sert plus à être contemplée mais à être consommée dans son emballage plastique. Je pourrais vous parler pendant des heures de la poubelle qui pleure. Sur l'album *Mona Bone Jakon* figure une poubelle grise qui verse une larme. Connaissez-vous plus juste métaphore de notre temps ? Nous avons créé le monde des « garbage cans » qui chialent. J'aimais aussi ces titres étranges : *Tea for the*

Tillerman, *Teaser and the Firecat*, et leur graphisme surchargé à la Elton John. Et les somptueux arrangements (le magazine *Rolling Stone* disait : « luxuriants »). Les violons sur *Lilywhite* (1970) : le plus beau pont dans la musique pop depuis *Stand by me* de Ben E. King.

Cat Stevens avait essayé de dire quelque chose, puis il avait disparu.

« You may still be here tomorrow
But your dreams may not »
(*Father and Son*, 1970)

Il a écrit tous ces chefs-d'œuvre la même année, à l'âge de vingt-deux ans, entre janvier et juillet 1970, lors d'un séjour à l'hôpital où il avait failli mourir de la tuberculose. La maladie des romantiques : une toux mal soignée qui dégénère à cause d'un abus de drogues, d'alcool et de filles sans dormir. C'est à l'hôpital que Cat Stevens s'est laissé pousser la barbe.

Le 23 décembre 1977, après quarante millions d'albums vendus, dont sept albums dans le Top 10 durant les années 70, Cat Stevens disparaît. La star des swinging sixties, l'homme timide dont les groupies criaient le nom quand il sortait de sa Rolls Royce, celui qui enchaînait les enregistrements et les tournées, menait la vie de rock-star avec défonce et sexe dans les palaces, le seul Anglais depuis les Beatles à être devenu une star en Amérique, l'homme qui a rempli le Madison Square Garden deux soirs de suite à guichets fermés (les spectateurs faisant des « standing ovations » au milieu des chansons), Cat Stevens s'oriente vers la foi islamique en 1977. C'est son frère qui lui a offert le Coran. Il visite une mosquée à Jérusalem. Le 4 juillet 1978, il change son nom en Yusuf Islam. Il a trente et un ans. Aucune star de son envergure n'a jamais tout quitté aussi brusquement. Il vend aux enchères son piano blanc, ses disques d'or, et distribue l'argent à des organismes de charité. Annonce qu'il n'écrira plus que pour transmettre le message de Mahomet. Quand Salman Rushdie est condamné à mort par l'ayatollah Khomeyni, Yusuf Islam déclare à la télévision britannique que « le châtiment pour blasphème est la mort ». C'est le même homme, l'auteur de *Peace Train*. Il porte un turban, une longue barbe, des babouches, une robe traditionnelle arabe. Il finance une école coranique ouverte par lui aux environs de Londres. Il s'estime « sauvé par l'islam ».

Moi aussi, j'aurais peut-être dû me convertir à l'islam, comme Cat Stevens et Cassius Clay. J'aurais abandonné Carthew Yorston. J'aurais adopté un nom arabe : Shafeeq Abdullah. J'aurais rebaptisé Jerry et David : Mohammed et Ali. J'aurais arrêté de manger du bacon.
Ooh baby baby it's a wild world.
J'en fais le serment
Si on s'en sort
Je nous fais musulmans.

9 h 52

Des bribes d'Amérique me reviennent. A l'âge de dix ans, j'ai filmé le World Trade Center. Mon père m'avait offert une caméra super-huit. Nous avions pris un taxi vers les deux tours. Les immeubles formaient un corridor; c'était comme descendre des rapides au fond d'un canyon. Je n'étais pas dans une ville, j'étais au fond d'un gouffre. Les buildings reflétaient les buildings d'en face qui reflétaient les buildings d'en face. J'étais minuscule mais démultiplié comme au Labyrinthe des glaces du Jardin d'Acclimatation. Arrivé sur l'esplanade, mon premier geste de metteur en scène fut de filmer une des deux tours en contre-plongée. Vue d'en bas, la tour semblait une autoroute vers le ciel. Ses rainures étaient les lignes blanches parallèles que les voitures n'ont pas le droit de franchir sous peine d'amende. Je ne pouvais pas filmer très longtemps : contrairement aux cassettes vidéo, les films super-8 ne duraient que trois minutes et il ne fallait surtout pas se tromper, on ne pouvait pas repasser par-dessus, l'erreur était indélébile. J'ai dû faire un plan-séquence du World Trade Center 1 puis 2, puis revenir au 1.

Avec ma contre-plongée à la con, l'image donnait le vertige, j'ai même failli me casser la figure tellement j'étais penché en arrière. C'est la première fois que je me suis aperçu que regarder en haut, quand on est très bas, pouvait faire aussi peur que regarder en bas, quand on est très haut. La taille écrasante de ces mastodontes constitua mon premier contact avec la métaphysique – les cours de catéchisme de l'école Bossuet étaient moins exotiques. Je me sentais non seulement abasourdi, mais surtout *physiquement dominé* par les deux colosses de béton. Quelque chose existait de plus fort que nous. La puissance qui avait inspiré ces constructions n'était pas humaine. Pourtant l'espace entre les colonnes avait été calculé par l'architecte pour mesurer la largeur des épaules de mon père. Malgré l'immensité des tours, elles possédaient quelque chose d'organique. Cette chose plus forte que nous, c'était quand même nous. Le vent tiède de l'été tournoyait sur la place, emportant avec lui l'odeur grasse des hot dogs à la moutarde sucrée. Moi aussi je tournoyais sur place : j'ai filmé les touristes qui déambulaient sur les dalles de granit, mon frère Charles, quelques mômes qui faisaient du patin à roulettes, un danseur qui imitait un robot. Mais je ne pouvais pas m'empêcher de revenir aux deux tours, ma caméra était littéralement aspirée par ces deux piliers du firmament. Sur nos têtes les deux tours paraissaient se rejoindre, soudées comme un arc de triomphe, un V renversé. Seul un timide ruban de ciel les séparait à regret. Pour construire un monstre pareil, il fallait être complètement dingue, ou avoir une âme d'enfant, ou les deux. J'étais étonné par les passants qui continuaient de vaquer à leurs occupations sans se rendre compte qu'ils slalomaient entre les jambes d'un géant. Au-dessus de leurs têtes, ils avaient suspendu un dangereux caprice.

9 h 53

On aurait mieux fait de laisser Manhattan aux Indiens. L'erreur date de 1626, quand Peter Minuit jeta ses 24 dollars par la fenêtre. Fallait se méfier d'un type avec un nom pareil ; minuit c'est l'heure du crime. Peter Minuit était tout fier d'avoir berné les Algonquins en leur fourguant quelques perles de verre en échange de leur île. Mais ce sont les Indiens qui ont escroqué les Visages pâles. Les perles de verre étaient des graines qui, plantées dans la terre, ont fait pousser une cité transparente, moins solide qu'un tipi.

9 h 54

J'en ai marre d'écrire des romans sans issue. Marre des errances postexistentialistes stériles. Marre d'être un attrapeur dans le seigle qui n'attrape rien. Je cherche la prochaine utopie.

Il m'apparaît de plus en plus évident que les terroristes se sont trompés de cible. Pourquoi ne se sont-ils pas attaqués aux bâtiments des Nations unies, sur la First Avenue entre la 42e et la 48e Rue ? Parce que c'est une zone internationale ? L'Organisation a pourtant failli à sa mission. La vraie responsable des guerres, des injustices, des déséquilibres, c'est elle ! Faire croire aux Etats qu'il existe une justice alors qu'elle n'est jamais appliquée ! Envoyez tous vos Boeing sur le Machin ! Le monde a besoin d'un gouvernement qui fonctionne, d'une armée internationale qui fasse régner l'ordre. Les casques bleus en Yougoslavie ? soldats désarmés, payés pour contempler les massacres sans réagir. Les Nations unies se sont discréditées depuis qu'elles ont nommé la Libye présidente de la Commission des Droits de l'Homme. Il faut réformer cette Organisation bureaucratique et sclérosée, corrompue et impuissante. L'ONU fut construite sur les ruines de la Société des Nations ; qu'allons-nous bâtir sur les ruines de l'ONU ? Pourquoi pas la démocratie planétaire appelée de ses vœux par Garry Davis, le fondateur du Mouvement des Citoyens du Monde en 1948 (avec le soutien d'Albert Camus, André Breton, Albert Einstein) ? L'horreur terroriste et la catastrophe écologique actuelle ont une solution : la République mondiale, sous le contrôle d'un Parlement international élu au suffrage universel. Je rêve de supprimer les nations. J'aimerais ne pas avoir de pays. John Lennon psalmodiait : « Imagine there's no countries. » Est-ce la raison pour laquelle New York l'a assassiné ?

Dans le jardin de sculptures de l'ONU, je photographie une statue de saint George terrassant un dragon qui ressemble étrangement à un fuselage d'avion. Les nombreux camions de retransmissions télévisées empêchent de bien la voir. Intitulée « Good defeats evil » (le Bien triomphe du Mal), cette sculpture massive a été offerte aux Nations unies par l'URSS en 1990. Elle est fabriquée à partir des restes d'un missile soviétique et d'un missile américain. « Good defeats evil » : ce combat a lieu en chacun de nous toute la journée, et en ce moment dans le monde. Dans ce bâtiment carré, les membres du Conseil de sécurité sont réunis aujourd'hui pour voter une résolution sur la guerre en Irak.

Hier soir, dans une conférence de presse, le Président Bush a dit une chose assez belle :

— Depuis le Onze Septembre, notre pays est un champ de bataille. (« Our home is a battlefield. »)

LE BIEN TRIOMPHE DU MAL.

Le mélange insensé qui fonctionne à New York devrait servir d'exemple : un monde sans frontières est possible puisqu'il a été testé sur cette île minuscule avec succès. Le résultat est sale, compliqué, dangereux et bruyant, mais c'est un système qui fonctionne : on peut vivre avec des gens du monde entier, de toutes les

races et origines, on peut y arriver, c'est fai-
sable. Comme à Sarajevo.

Depuis le Onze Septembre, l'Amérique est en
guerre contre le Mal. C'est peut-être ridicule
mais c'est ainsi. Le problème, c'est que ce n'est
pas son boulot. Elle pique le job de l'ONU. La
démocratie planétaire ne doit pas être la pro-
priété privée des Etats-Unis d'Amérique. Il faut
rebaptiser l'ONU : « Etats-Unis du Monde ».
Et organiser son élection au suffrage universel
mondial.

J'ai rencontré Troy Davis plusieurs fois à
Paris. Il m'a fait l'effet d'un grand échalas fatigué par la mission dont son père l'avait investi.
En même temps il semblait très organisé : il
trimbalait son attaché-case dans de nombreux
pays. La première fois que je l'ai vu, il réclamait
de l'argent à Pierre Bergé. La deuxième, je l'ai
trouvé moins sympathique, puisqu'il m'en
réclamait à moi. Troy Davis est toujours fau-
ché : il dépense tout son fric en billets d'avion
depuis qu'il a laissé tomber son job de banquier
pour se consacrer à la cause de la World Demo-
cracy. Il avait un projet de « Manifeste pour
une Démocratie mondiale ». Je me souviens
l'avoir branché sur Jean-Paul Enthoven, en
espérant un peu m'en débarrasser. Ensuite nous
nous sommes surtout parlé par e-mails. Il voulait taper du fric à mon frère, il m'a tanné
jusqu'à ce que je lui donne le portable d'Ardis-

son... et dès qu'il a su que je devenais éditeur il est revenu à la charge avec son projet de livre. Pour dire les choses franchement, il commençait à me courir sur le haricot avec sa Démocratie mondiale. Pourtant, j'avais beau me creuser la tête, je ne voyais pas d'autre utopie pour l'après-Onze Septembre.

9 h 55

Les rencontres par Internet vont prendre un nouvel élan. Bientôt on pourra mettre son auto-portrait filmé par webcam et indiquer toutes les caractéristiques de la personne qu'on recherche : âge, région, hobbies, couleur des yeux, etc. Bientôt on ne rencontrera plus les gens par hasard. Tu te présenteras sur le Net avec une photo ou un film, et tu préciseras : « Je cherche une rousse obsédée bisexuelle à tendance échangiste, avec des gros seins et un sexe étroit, qui aime les disques de Cat Stevens et le basket-ball, le cinéma de Tarantino et le Parti républicain. » Ton portable ou ton mail te préviendra dès que quelqu'un correspondant à tes critères sera dans ton quartier. Plus besoin de sortir dans des bars à la con. Quel dommage, je ne verrai pas ce monde parfait, aux rencontres rationnelles comme des annonces immobilières. Je voulais vivre dans le virtuel mais je vais mourir dans la réalité.

9 h 56

Sur le pont de Brooklyn, j'ai l'impression d'être debout au bord d'une falaise. J'admire l'East River et les remorqueurs qui sifflent et creusent des vagues aux crêtes blanches sur la mer. Les lignes blanches des bateaux sur la mer répondent aux lignes blanches des avions dans le ciel. Depuis que je ne prends plus de cocaïne, je vois des lignes blanches partout. L'air new-yorkais contient-il encore de la poudre d'humains ? Chaque habitant de la ville sait qu'il a forcément inspiré dans ses poumons une microscopique quantité de poussière du World Trade Center. Dans *99 francs*, Octave sniffait les cendres de son patron. Peu ou prou, c'est ce qu'ont fait tous les New-Yorkais : involontairement canni- bales, contaminés par un anthrax à forte teneur en humanité volatile. Des épidémies de maladies se déclarent à Lower Manhattan et Brooklyn (partout où le nuage de fumée est passé). Le maire Giuliani aurait semble-t-il décidé de minimiser les risques sanitaires pour ne pas affoler davantage les populations. On pourrait aussi, un jour, s'interroger sur la responsabilité des membres du Security Staff, qui sont toujours vivants parce qu'ils ont préféré évacuer sans débloquer les portes du toit, et sur celle des pilotes des neuf hélicoptères du NYPD qui ont refusé d'envisager la possibilité d'une évacuation par les airs.

Un photographe embarqué avec eux a déclaré : « Nous faisions plusieurs passages au-dessus des toits afin de voir si des gens avaient réussi à y monter. Il n'y avait personne. Qu'aurions-nous fait dans ce cas-là ? Se poser était très risqué, d'abord parce que la fumée rendait toute manœuvre très aléatoire. Nous aurions sans doute fait descendre un filin. Malheureusement, j'étais presque sûr que, par mesure de sécurité, les portes donnant accès aux toits étaient fermées. Et la chaleur était infernale. Nous la ressentions à l'intérieur du cockpit et le pilote pouvait la lire sur l'écran de son thermomètre extérieur. Il nous était impossible de distinguer quoi que ce soit à l'intérieur des tours, mais j'apercevais des gens accrochés à l'extérieur des vitres éclatées, parfois couverts de sang, les vêtements déchirés ou brûlés. Certains nous faisaient des signes, mais que pouvions-nous faire ? Je repense souvent à cette femme, se tenant par un bras et agitant l'autre en notre direction... Mais que pouvions-nous faire ? »

« Que pouvions-nous faire ? » Cette question, il se la posera certainement jusqu'à sa mort. Que pouvaient-ils faire ? L'avantage d'écrire ceci beaucoup plus tard, et confortablement installé dans mon fauteuil de touriste parisien, c'est que je peux répondre sans paniquer ni risquer ma peau. Ce qu'il fallait faire, c'était contacter le Security Staff pour leur dire d'ouvrir l'issue du toit, ou transmettre cette instruction aux pompiers situés à l'intérieur du bâtiment au 22e étage, puis organiser une ronde d'hélicoptères comme lors des sauvetages en mer ou en montagne. Il s'agit d'une opération d'hélitreuillage somme toute assez usuelle, quand on songe aux éléments déchaînés que doivent affronter les pilotes pour récupérer les victimes d'avalanches ou de tempêtes. J'ai sans cesse en tête une image qui me bouleverse : un hélicoptère qui emporte des gens agrippés à une échelle de corde au-dessus du World Trade Center. Cette image aurait été la plus belle réponse possible aux avions-suicides. Quel dommage que cette image, nous ne l'ayons pas vue.

J'ai eu une mauvaise idée qui partait d'un bon sentiment : j'ai tendu aux enfants le pin's *Windows on the World* que Lourdes m'avait confié en me disant adieu. Le souci, c'est qu'elle n'en possédait qu'un seul. Jerry et David ont commencé à s'étriper pour savoir lequel aurait le pin's. Finalement c'est Jerry qui l'a gardé, parce qu'il est le plus fort physiquement. Je n'ai pas eu le courage de faire régner une autre justice. David s'est renfrogné mais bizarrement, en lui changeant les idées, cette dispute a séché ses larmes, à mon grand soulagement. Il ruminait sa vengeance. Quelques secondes plus tard, voyant Jerry épingler le truc sur son tee-shirt, il l'a bousculé pour qu'il se pique avec l'aiguille. Du sang a perlé. Jerry a serré les dents, David a souri. C'était œil pour œil, dent pour dent. Jerry l'a admis : c'était la vie. Je me suis passé la main dans les cheveux : je venais de comprendre ce qui n'allait pas sur la terre. Il n'y a pas assez de pin's pour tout le monde.

9 h 58

J'ai fini par retrouver Troy Davis et son costume en tweed gris, son manteau gris, son sac gris. Comme tous les utopistes, Troy se fiche complètement d'être à la mode, puisqu'il vit dans les décennies à venir. Lénine aussi ressemblait à un comptable, quand il mangeait du pain gratuit à *la Closerie des Lilas*. Nous sommes assis au *Life Café* devant des sandwiches, il y a du carrelage au sol, une clientèle estudiantine, des bandes de filles optimistes et des tableaux un peu kitsch aux murs. Troy a deux ans de plus que moi. Il a fait Harvard, comme mon père, mais lui en tant que physicien.

— Je suis crevé mais ça avance : le Comité d'action pour un Parlement mondial est soutenu par Edgar Morin, Jacques Delors, Sonia Gandhi, Felipe Gonzales, Nelson Mandela, Shimon Peres, Danièle Mitterrand, Javier Perez de Cuellar, Léa Rabin, Michel Rocard, Raymond Barre, Amartya Sen (prix Nobel d'économie 1998), Alejandro Toledo (le président du Pérou), le mime Marceau, l'abbé Pierre...

— Très chic, on dirait un listing pour un cocktail chez Arnaud Lagardère.

— Oui, c'est peut-être pour être invité que tu veux figurer dans mon comité de soutien ?

— Pas besoin de ça pour être invité, suffit de publier des best-sellers dans une de ses filiales. Concrètement, explique-moi en quoi la création de nouvelles institutions va accélérer la mise en place de la taxe Tobin ou l'annulation de la dette des pays du tiers-monde, par exemple ?

— Un nouvel ordre démocratique mondial aurait le vrai poids politique pour faire passer ce genre de lois. Ou pour mettre en place une taxe sur les émissions de carbone ou les ventes d'armes, ou pour créer une Agence mondiale de l'environnement. Le problème de notre temps, c'est que l'économie est mondialisée mais pas le politique. Il faut une révolution pour faire passer des lois nouvelles. Les gens ont oublié que les révolutions de 1776 et 1789 étaient à la base des révoltes fiscales.

— Tu crois sincèrement que tu verras une chose pareille de ton vivant ?

— L'Histoire fait des bonds discontinus (dernier exemple en date : la chute du communisme). Et puis il y a le TPI (Tribunal pénal international) : c'est la première fois qu'on reconnaît légalement l'existence d'une citoyenneté mondiale. On peut bâtir un Parlement mondial en moins de dix ans en faisant une campagne intelligente de sensibilisation.

— Et tu l'installes où, ton Parlement ? Encore aux Etats-Unis, comme l'ONU ?

— Non : sur une île artificielle en mouvement permanent autour des cinq continents. Un

312

grand projet pour tous les chantiers navals du monde.

— Tu sais ce qui me plaît chez toi ? C'est que t'as pété les plombs. Et un roman ? Tu crois qu'un roman peut aider ?

— Oui, sauf s'il est écrit par toi ! Des centaines de milliers de jeunes manifestent aujourd'hui par idéalisme sans même qu'on leur offre un projet cohérent. Ils seront demain des millions quand ils connaîtront cette idée pacifique et fédératrice. La manifestation mondiale contre la guerre en Irak du 15 février 2003 a rassemblé dix millions de personnes sur la Terre. Le February 15th est une date aussi importante que le September 11th : la première grande manifestation planétaire. La manif-monde.

— Tu ne crois pas qu'il est déjà trop tard, que nous vivons l'apocalypse, que le cynisme l'emportera toujours sur l'utopie ? Qu'il faut laisser Jimmy Carter s'occuper de la paix dans le monde ?

— De toute façon, même par cynisme, il faudra bien se résoudre à organiser la mondialisation de manière non totalitaire. Le problème de la faim dans le monde peut être résolu en moins de cinq ans mais il ne l'est pas en raison de blocages d'intérêts divergents. Puis viendra le temps des guerres de l'eau... Ce sont les Terriens qui doivent décider, pas quelques politiciens vendus aux compagnies de distribution et d'énergie. Ou alors, que l'on dise les choses clairement : nous vivons en ce moment sous le joug d'une dictature mondiale.

— « Dictature mondiale » ? Comme tu y vas ! On est quand même libres dans les pays riches, non ?

— L'expression n'est pas de moi mais de Camus.

— Ah bon, alors, si c'est de Camus, ça change tout... OK. Fais-moi penser à t'emmener devant le 56, rue Jacob, la prochaine fois que tu viendras à Paris. C'est là que tout a commencé : la naissance d'une nation, comme disait Griffith.

— Arrête de dire n'importe quoi la bouche pleine, s'il te plaît. Ça a commencé bien avant, il faut remonter aux Sumériens. Jusqu'à 5000 ans avant Jésus-Christ, on vivait au Paradis. Il n'y avait pas d'Etats. Ce sont quelques rois sumériens qui ont inventé la guerre et le nationalisme absolutiste. Et tu sais où ça se passait ? En Irak ! Depuis le royaume de Sumer, c'est la bagarre. En ce moment, Bush se comporte avec Saddam Hussein comme un roitelet mésopotamien.

— Ne critique pas trop les Sumériens. Ce sont aussi eux qui ont inventé l'écriture. Sans les Sumériens, je serais obligé de faire de la télé !

Le *Life Café* porte bien son nom ; un brouhaha intello qui donne envie de refaire le monde avec des filles aux cheveux propres prénommées Sandy.

— Dis-moi, Troy, comment vas-tu baptiser ton idéal ? Tu sais qu'il faut toujours un mot en « isme » sinon ton utopie n'aura pas l'air sérieuse. Je te propose : « Altermondialisme ». Pour faire pièce à la mondialisation. Ou bien : « Internationalisme ». Mais ça fait trop coco... « Multilatéralisme » ? « Cosmopolitisme » ? « Globalisme » ? Non, ça fait trop capitaliste.

— Ecoute, je n'y avais pas songé, mais cette question me semble accessoire...

— Ah ! Non ! Pas du tout, c'est essentiel d'avoir un nom qui donne envie de s'engager. « Universalisme » ? Non, ça fait Vivendi. J'y suis : « Planétarisme ». Voilà. Nous sommes des planétaristes.

— On dirait un nom de secte suicidaire.

— Eh bien, tant pis ! Tu es le Charles Fourier du nouveau siècle ! Tu es notre gourou non-raëlien ! Ô saint Troy, montre-nous la Voie !

— Frédéric ?

— Yes ?

— C'est ta combientième caïpirinha, là ?

— Oh ça va, tu crois peut-être que Karl Marx ne buvait que de l'eau ?

On déconnait, on délirait, n'empêche que ça faisait du bien de croire en quelque chose.

9 h 59

Il y a eu un nouveau tremblement de terre.

— Qu'est-ce que c'est que cette explosion ?

— L'autre tour vient de s'effondrer, dit quelqu'un qui respirait dehors.

Le rideau de fumée est tellement épais qu'il est impossible de distinguer ce qui est incendie et ce qui est poussière. L'immeuble frappé après le nôtre s'est écroulé avant. Ne pas chercher à comprendre, et comprendre quand même : cela signifie que notre tour va imploser dans les minutes qui viennent.

— Let us pray. Seigneur Dieu, je Te prie alors que je ne crois pas en Toi. Accepte-nous auprès de Toi malgré notre opportunisme.

L'effondrement de la tour voisine a fait le bruit d'une poignée de spaghettis brisés, pas plus que ça. C'est, j'imagine, le même son qu'une avalanche. Un craquement sec. Le mass murder ne gronde pas comme le tonnerre, le mass murder fait un bruit de biscuit croqué. Ou de chutes d'eau, en remplaçant l'eau par du béton.

A un moment, Jerry s'est tourné vers le distributeur d'eau qui faisait un drôle de glouglou. Des bulles se formaient dans la bonbonne transparente. A l'intérieur l'eau se préparait à bouillir.

10 h 00

Lower Manhattan sans les deux tours : une autre ville, trente-sept ans partis en fumée. New York retouchée au Flame. C'est sur ces docks que débarqua Lafayette.

Lower Manhattan est le seul coin de la ville dont les rues ne portent pas des numéros, le seul où l'on puisse se perdre, revenir sur ses pas ; le Financial District est le quartier de Manhattan qui ressemble le plus à une bordélique ville d'Europe. A dix heures du matin, je marche dans Wall Street, la Rue du Mur de l'argent. Elle fut baptisée ainsi car ici s'érigeait un mur d'enceinte qui protégeait la cité des Indiens. Aujourd'hui il faudrait ajouter des briques sur le mur, comme dans la chanson des Pink Floyd. En Israël, ils sont en train de construire un mur comme celui de Berlin. Bientôt il ne faudra plus dire « Wall Street » mais « Wall City », « Wall Countries », « Wall World ».

Ici même, deux tours s'élevaient jusqu'aux cieux mais auparavant il y avait une palissade de rondins pour protéger nos ancêtres hollandais des Algonquins, des ours et des loups. Construite en 1653, l'enceinte était régulièrement démontée par les résidents qui se servaient des planches et des pieux pour se chauffer ou consolider leurs maisons à pignon et toits de tuiles vernissées. Sous mes pieds, dans la Nouvelle-Amsterdam, le World Trade Center a rejoint les débris des constructions coloniales, les cruches de vin, la brique, le verre et les clous des siècles précédents, les champs de blé, d'orge et de tabac, et les restes des cochons qui gambadaient dans les ruelles sombres des taudis, et les ossements de moutons et d'hommes venus de l'autre bout du monde sur cette terre. Autrefois, il y a très très longtemps, les Indiens cultivaient le seigle là où s'élevait le World Trade Center.

10 h 01

Les secours ne sont jamais arrivés jusqu'à nous. Vous ne nous avez pas vus à la télé. Personne n'a pris nos visages en photo. Tout ce que vous connaissez de nous sont des silhouettes ébouriffées escaladant la façade, des corps précipités dans le vide, des bras agitant des chiffons blancs dans l'éther comme des morceaux de nuages. Le bruit fracassant des chutes dans le documentaire des frères Naudet. Le seul film de la tragédie est l'œuvre de deux Français.

Mais ils n'ont pas montré les morceaux de gens qui tombaient, les fontaines de sang, l'acier, la chair et le plastique soudés ensemble. Vous n'avez pas senti l'odeur de fils électriques cramés, cette odeur de court-circuit multipliée par 100 000 volts. Vous n'avez pas entendu les cris d'animaux, comme des cochons qu'on égorge, des veaux qu'on dépèce vivants, sauf que ce n'étaient pas des veaux mais des cerveaux, capables de supplier.

Quoi ? La pudeur ? Il ne fallait pas choquer les enfants ? Il ne fallait pas faire du sensationnel avec nos corps suppliciés ? Trop dégueulasse vis-à-vis des familles des victimes ? On prend moins de gants quand les charniers sont à l'étranger. Tous les crashs aériens sont photographiés et revendus sauf à New York. Le soi-disant « respect des familles » ne dérange d'habitude pas les journalistes, en particulier américains. Quoi ? Elle est sale, notre boucherie de viande humaine ? C'est la réalité qui est dégueulasse, et refuser de la regarder l'est encore plus. Pourquoi n'avez-vous vu aucune image de nos bras et jambes démantibulés, de nos troncs arrachés, de nos entrailles déversées ? Pourquoi a-t-on caché les morts ? Ce n'est pas de la pudeur déontologique, c'est de l'auto-censure, voire de la censure tout court. Cinq minutes après l'entrée du premier avion dans notre tour, la tragédie était déjà un enjeu dans la guerre des images. Alors patriotisme ? Certainement. Un réflexe nationaliste a poussé la presse US à bomber le torse, cacher notre souffrance, couper les plans de jumpers, les photographies de grands brûlés, les « body parts ». On peut parler d'une omerta spontanée, d'un black-out médiatique sans précédent depuis la première guerre du Golfe. Je ne suis pas convaincu que les victimes seraient toutes consentantes pour qu'on les efface de la sorte. Moi, j'aurais aimé qu'on nous montre à la face du monde. Qu'on ose nous voir, comme on doit se forcer à garder les yeux ouverts devant les images de *Nuit et Brouillard*. Mais c'était déjà la guerre : en temps de guerre, on masque les dégâts causés par l'adversaire. Il faut faire bonne figure, cela fait partie de la propagande. Les victimes furent énormément indemnisées. Mary est riche désormais, entre mes assurances-vie, les fonds de soutien, les cotisations nationales et l'héritage des garçons. Candace n'aura rien, Candace devra encore faire pas mal de photos de lingerie. Et c'est ainsi qu'eut lieu une des plus grosses opérations de désinformation audiovisuelle de l'après-guerre. Cachez ce sang que je ne saurais voir. Un building s'effondre, on le diffuse en boucle. Mais surtout ne montrez pas ce qu'il y avait dedans : nos corps.

10 h 02

Les pirates de l'air vivaient confortablement dans des petites stations balnéaires de Floride avec plages et « shopping malls ». Va falloir m'expliquer ce mystère. Un jour il faudra quand même qu'on m'explique pourquoi quinze jeunes Saoudiens diplômés, occidentalisés, portant le complet-veston, avec des familles installées en Allemagne puis en Amérique, des mecs qui buvaient du vin, mataient la télé, conduisaient des voitures et des simulateurs de vol, bouffaient chez *Pizza Hut*, allaient parfois aux putes ou dans les sex-shops comment ces hommes-là ont été capables d'égorger des hôtesses de l'air avec des cutters (il faut maintenir la fille d'une main, une hôtesse de l'air ça gigote beaucoup, ça pousse des cris stridents, il faut appuyer la lame très fort sur la carotide et la trachée artère, ouvrir la peau et sectionner les nerfs, le sang gicle partout, elle se défend, donne des coups de talons dans les tibias et des coups de coudes dans le plexus... non, ce n'est pas facile à faire), comment ces types ont pu prendre les commandes de quatre Boeing pour les foutre en l'air dans des immeubles au nom d'Allah. Je veux bien qu'Allah soit grand, mais quand même. Claude Lanzmann dit que la Shoah est un mystère ; le Onze Septembre aussi. Etaient-ils drogués, et si oui, à quoi ? Coke, amphétamines, alcool, haschisch, EPO, pot belge ? Leur avait-on promis autre chose que les mille vierges salopes du Paradis ? Du pognon pour leurs ayants droit ? Et d'ailleurs combien dans le commando étaient-ils au courant de l'aspect suicidaire de l'opération ?

Quand j'étais petit, Jacques Martin animait une émission intitulée *Incroyable mais vrai* sur Antenne 2 ; c'était juste avant *L'école des fans*. On le voyait haranguer les retraités venus en autocar au Théâtre de l'Empire.
— Incroyable mais... ?
Tous en chœur ils reprenaient :
— ... VRAI !
Je crois qu'il aurait pu consacrer une émission spéciale au Onze Septembre. Cet événement était imprévisible parce qu'il est impossible. Il est littéralement incompréhensible c'est-à-dire qu'il dépasse l'entendement humain. Qui sont les hommes capables d'accomplir pareil geste ? Qui sont Mohamed Atta, Abdulaziz al-Omari, Marwan al-Shehhi et leurs camarades ?

Sont-ils (cocher la case correspondante) :

Des bougnoules fanatisés ? . . . . □
Des malades psychotiques ? . . . . □
Des néofascistes ? . . . . □

Des saints enturbannés ? . . . . □

Des idiots manipulés par un milliardaire,
lui-même ex-agent de la CIA ? . . . . □

Des héros du tiers-monde opprimé ? . . . . . □

Des post-punks destroy et défoncés jusqu'à
la moelle ? . . . . □

Des enculeurs de chameau à napalmer
d'urgence ? . . . . □

Des nihilistes dépressifs ? . . . . □

Des militants antimondialisation ? . . . . □

Des kamikazes (allez, tous ensemble !)
incroyables mais... VRAIS ? . . . . □

10 h 03

J'ai commis deux erreurs :
1) Faire des enfants ;
2) Les emmener petit-déjeuner ici.

Je commence à voir les choses différemment. Non comme des événements présents, mais déjà comme des souvenirs. C'est bizarre de tout percevoir avec cette distance que confère l'imminence d'une désintégration. Le monde est tellement plus beau quand vous n'y êtes presque plus. Je sais que je m'en souviendrai même quand je n'aurai plus de mémoire. Parce que, même après notre mort, les autres se souviendront pour nous.

10 h 04

Le « killer-cloud », cette tornade de gravats, de poutrelles d'acier de 30 mètres comme des rails de chemin de fer tombés du ciel, de plaques de verre tranchantes de 10 mètres carrés comme des lames de rasoir géantes, le nuage tueur s'avançait comme un raz de marée à 80 kilomètres à l'heure dans les ruelles étroites, sur Fulton Street, et cette image une fois de plus est copiée sur des films-catastrophe : on voyait la même chose au même endroit dans *The Blob*, dans *Godzilla*, dans *Independence Day*, dans *Armageddon*, dans *Die hard 2* et dans *Deep Impact* : ce matin-là, la réalité s'est bornée à imiter les effets spéciaux. Certains témoins ne couraient pas se réfugier, tant ils avaient l'impression de regarder un spectacle déjà vu. Certains sont peut-être morts seulement parce qu'ils se souvenaient que la dernière fois qu'ils avaient vu la même chose, c'était en mangeant du pop-corn, et qu'une heure après, ils étaient sortis de la salle sains et saufs.

Une dernière fois le téléphone a réussi à sonner. C'était Mary en pleurs. Je n'ai pas cherché à la rassurer.

— We're not going to make it out. Pray for us.

— Tu ne pouvais pas prendre les escaliers ?

— Il n'y a ni issues, ni secours. S'il te plaît crois-moi, ne me pose plus de questions, je te jure que j'ai fait ce que j'ai pu. Continue d'appeler le 911. Dis-leur d'ouvrir la sortie du toit.

— ATTENDS ! Ne raccroche pas ! JE T'EN SUPPLIE.

La communication a été coupée. L'immeuble grondait comme un dinosaure blessé, comme King Kong à la fin du film. J'ai jeté en riant des liasses de dollars par la fenêtre. Rien que des billets de cent. Il devait y en avoir pour environ cinq ou six mille bucks, qui s'envolaient dans le vent. Et tout le monde se marrait, un rire frénétique, un fou rire défoulant, parti de moi, tournait en cascade au dernier étage de la prison de verre.

10 h 06

Au lendemain des attentats, les drapeaux américains fleurissaient partout dans la mégapole. Un an après, ils se sont fanés. Le flot de nationalisme a été endigué ? Non : la peur est de retour, il ne faut pas attirer l'attention d'un ennemi éventuel. Trop d'allergiques à la bannière étoilée, inutile de les exciter. Les Etats-Unis d'Amérique continuent de peser 40 % des dépenses militaires dans le monde. Je me demandais depuis quelques jours ce qui avait changé dans le climat de New York. Je viens de comprendre : l'Amérique vient de découvrir *le doute*. Ils n'ont pas connu René Descartes. Freud leur a apporté la peste mais le pays de cocagne de mes parents n'avait pas fait l'expérience du Doute. Or, à présent, où que se pose mon regard, je ne vois que le Doute instillé dans l'idéal US. Pas seulement chez les gens. Les voitures doutent. Les supermarchés doutent. Les parkings ne sont plus sûrs de rien. Les églises désaffectées transformées en discothèques s'interrogent sur elles-mêmes. Les embouteillages ne sont plus convaincus de leur nécessité. Les magasins de luxe se demandent si tout cela est bien la peine. Les feux rouges ne le restent pas longtemps. Les affiches publicitaires ont honte. Les avions ont peur de faire peur. Les immeubles pratiquent la table rase. L'Amérique est entrée dans l'ère de Descartes.

10 h 07

Les femmes avaient gagné : plus personne ne voulait vieillir avec elles.

Je me branlais tellement qu'à la fin, je bandais rien qu'en voyant la boîte de Kleenex. J'étais un bachelor de 40 ans. Je jouissais non-stop. Je croyais que c'était la liberté, mais non, c'était la solitude. J'avais renoncé à l'amour. J'avais choisi de préférer le plaisir au bonheur. Tous les couples me foutaient le cafard. Je voyais tous les hommes mariés comme des prisonniers castrés. Je pensais : on n'est pas un homme tant qu'on ne saute pas une femme différente tous les jours.

Je n'étais pas capable de vivre pour quelqu'un d'autre que pour moi-même.

10 h 08

Le 11 septembre 2001, un Burger King fut transformé en morgue. Le magasin Brooks Brothers semblait blanchi à la chaux. Sur le Pier A s'élevaient deux affiches géantes pour Apple avec le slogan « Think different » illustré par la photo de Franklin et Eleanor Roosevelt. (Roosevelt était président des Etats-Unis au moment de Pearl Harbor mais c'est une coïncidence.) Dans West Street, ils avaient posé des draps sur des bouts de corps, mais le sol restait jonché de morceaux de chair à vif. Un train d'atterrissage de Boeing, encastré dans un morceau de façade du World Trade Center, avait écrasé des voitures. Une odeur tenace remontait jusqu'à Times Square, mélange de composants informatiques et de chair brûlée. « J'ai vu un cœur entier collé à une fenêtre de la mezzanine. Des bras, des jambes, des tripes, des moitiés de corps, des organes humains sur toute la place. Je n'arrêtais pas de penser : ce n'est pas vrai, c'est un film. Cela ne pouvait pas être vrai. Je ne voulais pas le voir. » (Témoignage de Medhi Dadgarian, survivant du 72e étage.) A partir de la 14e Rue, tout était bouclé. Il n'y avait plus ni électricité ni gaz dans tout le sud de Manhattan. Au pied des Twin Towers on a retrouvé des sculptures brisées de Rodin, corps de bronze mêlés aux corps humains démantibulés. Des centaines de beepers sonnaient sous les décombres, dans les vestes des pompiers écrasés. Sous Ground Zero : une station de métro dans l'obscurité, le plafond éventré par les débris, barres tordues, béton en poudre. Un kiosque à journaux sous la fine poussière blanche, des câbles brûlés qui pendent au-dessus des magazines et des barres chocolatées. Une tranchée creusée en diagonale sur WTC Plaza, où les colonnes éparpillées des tours ressemblent à des branches d'arbre arrachées après un ouragan. Des New-Yorkais de tous âges, religions, races et classes sociales mélangés, attendaient patiemment dans des files d'attente longues de quatre blocs juste pour prendre un rendez-vous afin de donner leur sang.

La Terre ploie sous les détritus, comme une salle de bal au lendemain d'une fête. Il faut ranger mais on ne sait par quel bout commencer. Devant l'ampleur de la tâche, on soupire, et on vide un cendrier ; le champagne ne pétille plus. Les fenêtres du monde sont opaques, les yeux crevés. Cela a pu être drôle, autrefois, quand la nuit riait. Maintenant les rues sont froides, et les gens pressés. Ils courent parce qu'ils ont peur de s'arrêter. Ils ne se souviennent plus pourquoi ils tiennent tant à s'enrichir. Une voiture glisse entre les tours comme un jouet sur un circuit électrique. Sur le trottoir, nous faisons comme si nous n'étions pas tous grièvement blessés. Tous convalescents.

A partir d'ici, on pénètre dans l'indicible, l'inracontable. Veuillez nous excuser pour l'abus d'ellipses. J'ai coupé des descriptions insoutenables. Je ne l'ai pas fait par pudeur ou respect pour les victimes, car je crois que décrire leur lente agonie, leur calvaire, est aussi une marque de respect. Je les ai coupées parce qu'à mon avis, il est encore plus atroce de vous laisser imaginer ce par quoi elles sont passées.

Oh j'aimerais tellement être hier. Revenir juste avant. Si c'était à refaire, je ne le referais pas. « Oh je crois en hier » (chanson des Beatles).

Les hélicos nous passaient devant et nous regardaient mourir. (paragraphe coupé)

— Tout ce que je peux faire maintenant c'est prier Dieu de faire en sorte que cela n'arrive plus jamais.

Quand vous êtes nés, je pleurais de joie rien qu'en vous regardant.

— Papa, dit David qui est très pâle, j'ai mal au ventre, tu peux pas appeler le docteur ?
— T'inquiète pas chéri, il va arriver.
Son ventre était brûlé à 40 %.
— J'ai sommeil... Je peux faire dodo ?
— NON ! David, écoute-moi bien. Surtout ne ferme pas les yeux.
— Je vais dormir un peu maintenant.
— Non ! David ! Ecoute ton papa ! David ?
— Tu n'auras qu'à me réveiller quand la galaxie sera sauve.

10 h 10

Le *Windows of the World* était une chambre à gaz de luxe. Ses clients ont été gazés, puis brûlés et réduits en cendres comme à Auschwitz. Ils méritent le même devoir de mémoire.
(page coupée)

10 h 11

MORT DE DAVID YORSTON (1994-2001)

> *« Tel qu'en lui-même enfant*
> *l'éternité le change »*
>
> Edgar Poe

10 h 12

Or c'est ici que je dégaine une autre de mes fameuses TIMPFO (Théories Instantanées Mais Pas Forcément Originales). Cette haine qu'inspire l'Amérique c'est de l'amour. Quelqu'un qui vous déteste autant, quelqu'un qui veut que vous le détestiez autant, c'est quelqu'un qui veut votre attention. Donc c'est quelqu'un qui vous aime inconsciemment. Ben Laden ne le sait pas mais il adore l'Amérique et veut être aimé d'elle. Il ne ferait pas autant d'efforts s'il ne voulait pas que l'Amérique s'occupe de lui.

Qui est fou ? Qui est sacré ? Notre Dieu est crucifié. Nous adorons un barbu en pagne torturé sur une croix. Il est temps de fonder une nouvelle religion dont le symbole serait deux tours en flammes. Bâtissons des églises constituées de deux parallélépipèdes parallèles dans lesquelles, au moment de la communion, l'on ferait entrer deux maquettes d'avions téléguidés. A l'instant où les avions pénétreraient les tours, l'assistance serait priée de s'agenouiller.

10 h 13

Le libéralisme n'a rien à voir avec la morale. La devise de la France devrait s'appliquer au monde entier : « Liberté, Egalité, Fraternité ». Le problème, c'est que cet idéal humain est un mensonge inhumain.

L'Occident hurle qu'il faut être libre ! Libre ! Crier qu'on est libre, se vanter de l'être. Mourir pour défendre la liberté. Très bien. Mais je ne suis pas heureux quand je suis libre. J'ai beau tourner le problème dans tous les sens, je suis forcé de l'admettre, malgré ma mauvaise foi texane, maintenant qu'il est trop tard pour revenir en arrière. Je préférais Mary dans la voiture de mon père, ses doigts fins avec des ongles au bout, et le parfum des fleurs partout, et le crépuscule autour de ses yeux. Moments grappillés jusqu'au dernier moment. Je préférais la naissance de Jerry, sa tête bleue dégueulasse et boursouflée, oh mon Dieu, il va falloir s'occuper de cette chose sale pendant toute la vie, et puis il ouvre les yeux et il sourit. Je préférais me blottir dans les bras de Candace pour oublier l'effroi d'être moi.

Je n'étais pas heureux quand j'étais libre.

10 h 14

*« I'm on a plane / I can't
complain. »*

Nirvana.

Albert Thibaudet explique, dans son *Histoire de la littérature française* de 1936, qu'une
génération est une classe d'âge qui a vécu à
vingt ans un événement historique dont elle ne
se remettra pas et qui la marquera à jamais.
Dans son cas (Thibaudet est né en 1874), ce fut
l'affaire Dreyfus. Pour les générations sui-
vantes, il y eut les deux guerres mondiales, la
guerre d'Algérie, puis Mai 68. La génération de
mes parents a été irrémédiablement marquée
par 1968. Leur société s'est transformée du tout
au tout : les valeurs ont changé, les mœurs
aussi. Plus rien n'a jamais été comme avant : la
façon de s'habiller, de s'exprimer, les us et cou-
tumes, l'éducation. Rien de ce qu'on leur avait
enseigné ne leur servait plus à rien. 1968 fut
pour mes parents comme une seconde naissance, d'où leur divorce inévitable. Ils n'avaient
plus de repères, leurs parents étaient en dehors
du coup, ils ne comprenaient plus leur religion,

ne savaient plus leur parler. Comment voulez-vous rester avec quelqu'un alors que tout est en train d'exploser ? Pour ma génération, ce fut 1989 : j'avais 25 ans, et la chute du mur de Berlin sonna le glas des idéologies. Un espoir effréné naquit : le libéralisme allait convertir la planète entière. J'entrais alors dans la publicité qui était le bras armé du capitalisme. J'en suis revenu, mais c'est une autre histoire, déjà racontée. Comme tous les écrivains de ma génération, je resterai à jamais marqué par la religion de l'argent des années 80, par l'hypnose du glamour et l'arrogance des yuppies, la musique synthétique et le mobilier design, les défilés de mode et la démocratisation du porno, le goût des discothèques et la poésie des aéroports. C'est comme ça : ma génération est celle de François Mitterrand, du magazine *Globe*, celle qui a vu la gauche devenir réaliste, renoncer aux utopies. Ma génération déteste Mai 68 parce que toute génération se doit d'éliminer celle d'avant. Ma génération restera traumatisée par le deuil du communisme, le mannequinat et la cocaïne. La génération suivante, celle qui est née dans les années 80, celle qui éliminera la mienne, a eu 20 ans le 11 septembre 2001. A ses yeux je suis la vivante incarnation de la superficialité jet-set, de la contradiction entriste, de la pourriture médiatique et de la vacuité hautaine. Je me demande comment elle va survivre au World Trade Center : pourra-t-elle grandir sur les décombres fumantes du confort matériel ? Que va-t-elle reconstruire à la place du Centre du Commerce mondial ? De quoi seront faits ses rêves, à part d'acier fondu et de tripes calcinées ? Comment bâtir sur les ruines de ma génération, la destruction des seventies et l'échec des eighties, la faillite de la société de marques ? Que verra-t-elle de sa fenêtre sur le monde ? La religion du confort, de la consommation et donc du fric comme unique espoir, cette utopie-là est-elle vraiment morte à New York en 2001 ?

Notre futur a disparu. Notre futur c'est du passé.

10 h 15

— Montre-moi tes seins, dit le brun en Kenneth Cole.

Les deux traders sont dans la salle de réunion, ils savent que c'est fini, ils ont de l'eau jusqu'aux cuisses mais c'est la fumée qui les noie. Fauteuils renversés, cadavres violets autour d'eux, ceux de leurs collègues et patrons étouffés.

— Je me suis épilé la chatte au laser pour toi, dit la blonde en Ralph Lauren.

— Tu vas me vider les couilles une dernière fois, dit le brun en Kenneth Cole.

— Je vais t'avaler, je veux sentir tes giclées brûlantes sur mes amygdales, dit la blonde en Ralph Lauren.

— Tire bien la langue que je sente ton piercing sur mon gland, dit le brun en Kenneth Cole.

Ils sont montés sur la table de conférence, ovale d'ébène qui mesure 8 mètres de long. Il a baissé son pantalon et elle a retiré son chemisier. Leurs peaux sont bronzées aux UV; malgré l'odeur de mort et la chaleur atroce, ils sont très excitants à regarder.

343

— Tu sens mes trois doigts dans ton cul ? dit la blonde en Ralph Lauren.

— Relève ta jupe et empale ton anus sur ma queue bien à fond, dit le brun en Kenneth Cole.

— Tords-moi les tétasses, fais-moi bien les seins, dit la blonde en Ralph Lauren.

— T'aimes bien quand je te pince le clito, sale slut ? dit le brun en Kenneth Cole.

— Je me serais fait gang-banguer pour toi, dit la blonde en Ralph Lauren. Je t'appartenais pour que tu me donnes aux autres.

— Oh yeah, je t'aurais fait attacher et punir par des inconnus, et j'aurais bien enculé ta petite sœur devant toi, espèce de cunt, dit le brun en Kenneth Cole.

— MM fuck me deep, j'aurais bien aimé que ton père me fouette la chatte, dit la blonde en Ralph Lauren.

On ne voyait plus rien, les fax se mettaient à bouillir, le sol fondait, un paperboard flottait dans l'eau, il faisait nuit en plein jour et mille degrés Fahrenheit sur les iMac cramés.

— Je vais te remplir le cul de foutre chaud, dit le brun en Kenneth Cole.

— Ouuuah je monte aussi. Après je VEUX boire ta pisse, dit la blonde en Ralph Lauren.

— Attends, je veux d'abord fister ton con dégoulinant jusqu'à l'avant-bras, dit le brun en Kenneth Cole. Je veux que tu souffres pendant que je jute. Tire bien la langue que je jouisse dessus.

— Crache-moi dans la bouche, griffe-moi avec tes dents, arrache mes cheveux, bouffe mes

344

pieds OOOoh I'm comiiiing, I feel your cock in my ass, dit la blonde en Ralph Lauren.

— Je vais te torturer à mort, te tuer, t'éventrer pour baiser tes entrailles, élargir ton vagin pour rentrer tout mon corps à l'intérieur et mourir à l'endroit où je suis né, OOOh tu sens comme je viens mon amour OOOooh ça dure longtemps... dit le brun en Kenneth Cole.

Ils crient ensemble. Ils se roulent une pelle pleine de sperme. Ils s'aiment malgré les décombres, comme dans *l'Honneur perdu de Katharina Blum*.

— Je suis morte de plaisir, dit la blonde en Ralph Lauren. Je suis morte en t'aimant.

— La mort c'est mieux que le Viagra, dit le brun en Kenneth Cole. Tu étais ma raison de vivre, tu es ma raison de mourir.

Au paradis, il n'y avait pas mille vierges, mais il y avait eux deux. Il n'y a pas qu'en enfer que l'on peut prendre feu.

10 h 16

On a récemment traduit en France les « notebooks » de Francis Scott Fitzgerald. J'y ai découvert le titre que *Gatsby le Magnifique* a failli avoir :

« PARMI DES TAS DE CENDRES ET DE MILLIONNAIRES »

J'ai peur de la mort. Je suis fier de ma lâcheté. Mon absence totale de courage physique m'oblige à vivre sous la permanente protection de la police et de la loi. Mon absence totale de courage physique est ce qui me distingue de l'animal.

C'est facile d'être un futur mort. Il est plus difficile d'être un mort présent. Il faut continuer de vivre jusqu'au moment où l'on ne vit plus. Dire merci sans oublier qu'en anglais, merci signifie pitié. On n'a pas le temps de recevoir l'extrême-onction, ni de réfléchir à une brillante épitaphe, un mot d'esprit chic à laisser choir dans un dernier souffle, pour la postérité. Quand la mort arrive par surprise, a-t-elle une postérité ?

Elle me fait une belle jambe, votre compassion. A force d'être compassionnels, les démocrates judéochrétiens sont faciles à écrabouiller. Voilà ce que les bouchers aériens voulaient démontrer. Plus personne n'est à l'abri chez les tendres et charitables judéochrétiens libéraux. Ils voulaient faire ressentir aux gentils privilégiés ce que c'est qu'avoir la Haine. Comme sur les phalanges de Mitchum dans *la Nuit du chasseur* : LOVE HATE. La haine est amour.

Jésus tendait l'autre joue, d'accord Jésus n'était pas violent. Mais il avait la haine, même s'il le niait, même s'il ne le disait pas, elle était en lui, l'implacable soif de justice. Et sur la Croix il engueulait tout le monde, et reniait son père. La compassion il s'en foutait pas mal, Jésus sur sa Croix.

10 h 18

Loin de toi mon cœur est brisé comme une fenêtre.

Le *Mercer Hotel* décoré par un Français (Christian Liaigre) se situe downtown, dans le quartier de Soho, à quelques blocs du World Trade Center, mais j'arrive un an trop tard. Le nouveau maire de New York, Michael Bloomberg, élu parce qu'il possède des télévisions comme Silvio Berlusconi en Italie, s'est fixé deux objectifs : supprimer les fumeurs de cigarettes et le bruit. Son prédécesseur avait réussi à virer les putes de la 42ᵉ Rue et les clodos du Village. Bientôt Gotham City ne sera plus qu'un vaste centre commercial tout propre. Une île trade center. On n'a le droit de fumer ni dans les bars, ni au restaurant, ni même en boîte de nuit. Parfois, on n'a même pas le droit de danser ! Les jouisseurs babyloniens sont une minorité en voie d'extinction. Cette obsession de calme et de netteté semble une réponse inconsciente aux leçons de pureté et de vertu des islamistes fanatiques, ces tartuffes barbus. Elle trahit l'angoisse d'une métropole menacée.

Quand la démocratie est en danger, Manhattan devient... la Suisse.

Je ne bouge plus du *Mercer*. J'y vis reclus comme Polnareff au *Royal Monceau*. Je déjeune et dîne à la Mercer Kitchen du rez-de-chaussée. A 10 h 18 P.M., je vais boire ma vodka-cranberry au *Submercer*, la boîte de l'hôtel. Je vis en autarcie dans l'immeuble le plus branché de New York comme si j'étais dans une pension de famille en Toscane. Le portier et la réceptionniste me sourient avec pitié en se demandant si ce client français mélancolique aura les moyens de payer la note à la fin de son séjour. Les célébrités qui passent au bar de l'hôtel (Benicio Del Toro, Amanda de Cadenet, Guillaume Canet, Thierry Klemeniuk) ne comprennent pas pourquoi ce mec barbu fredonne tout seul des chansons de Cat Stevens en notant leurs moindres faits et gestes sur son petit carnet noir. Je me saoule méthodiquement, affalé dans un sofa design, sans parler à personne, pleurant souvent, pensant à toi, te regrettant.

10 h 19

Ils veulent que nous nous sentions coupables. Mais coupables de quoi ? Je ne suis pas responsable de ce qu'a fait mon pays pour grandir. L'esclavage des Noirs, le génocide des Indiens, le libéralisme sauvage, c'est pas moi les gars, je suis arrivé bien après ! Je n'ai fait que naître ici, chez les Patrons, mais je n'en suis pas un. Tout ce que je gouverne, c'est mon agence immobilière. Certes, j'ai vendu des appartements plus cher que ce qu'ils valaient. Je suis obligé d'avouer que tous les agents immobiliers sont des escrocs : ils vous vendent quelque chose que vous ne posséderez jamais. Vous ne comprenez donc pas que, sur terre, vous n'êtes propriétaires de rien ? Que tout le monde est locataire ? Je vendais du vent, des mètres carrés provisoires qu'il fallait trimer toute sa vie pour rembourser. L'endettement moyen des Américains atteint 110 % de leur revenu annuel : un record mondial. Le plus marrant, c'étaient les jeunes qui se félicitaient de ne plus payer un loyer mais continueraient de régler tous les mois des échéances de crédit pendant trente ans. Où était la différence ? L'agent immobilier

350

est un homme qui oblige d'autres hommes à travailler pour rembourser quelque chose dont ils restent locataires, puisqu'un propriétaire n'est qu'un locataire prisonnier de son logement, un débiteur qui ne peut pas déménager.

OK, je ne suis pas innocent mais je ne suis pas non plus un criminel. Je ne méritais pas d'être exécuté. Je ne sais pas si j'incarne le Bien, mais je ne voulais de Mal à personne. J'ai péché, trompé Mary, divorcé, fui Jerry et David, d'accord je suis loin d'être parfait mais depuis quand est-on brûlé vif pour ça ? Qu'y pouvais-je si des enfants guatémaltèques travaillaient quinze heures par jour à des salaires de misère pour accomplir le boulot à ma place ? Et Hiroshima et Nagasaki, j'étais même pas né, for God's sake ! Putain, en quoi suis-je complice de ce qui se passe dans les camps de réfugiés palestiniens avec tous ces mecs basanés qui jettent des cailloux sur des chars d'assaut et se font exploser toute la journée dans des autocars au lieu d'aller au bureau comme tout le monde ? Merde, c'est loin et on n'y comprend rien. Des barbus hirsutes qui mangent du sable, accroupis en tongs, une mitraillette à la main, éructant des slogans aussi incompréhensibles que haineux. Il y a trop de poussière dans ces pays-là, et puis ils crèvent de chaud, c'est énervant d'avoir si chaud quand tu bouffes des insectes au petit déj', tu crèves de soif, à la fin soit tu fais la sieste, soit tu te fous sur la gueule avec tout le monde.

Qui a fait le coup ? Arafat ? Unabomber ? Tu me diras : ça change quoi d'être tué par Ben Laden ou Timothy McVeigh, Al-Qaïda ou le Ku Klux Klan ? Frankly, my dear, I don't give a Saddam ! La violence de l'homme est dans sa nature. En principe, la culture, la religion, la société, la civilisation sont censées la dompter. En principe. Ayez pitié de nous. Oh Lord, ayez pitié de Jerry, de David et de Carthew Yorston d'Austin, Texas. Have mercy on us. Et en arabe, comment ça se dit « mercy » en arabe ?

10 h 20

« Un port est un séjour charmant pour une âme fatiguée des luttes de la vie. L'ampleur du ciel, l'architecture mobile des nuages, les colorations changeantes de la mer, le scintillement des phares, sont un prisme merveilleusement propre à amuser les yeux sans jamais les lasser. Les formes élancées des navires, au gréement compliqué, auxquels la houle imprime des oscillations harmonieuses, servent à entretenir dans l'âme le goût du rythme et de la beauté. Et puis, surtout, il y a une sorte de plaisir mystérieux et aristocratique pour celui qui n'a plus ni curiosité ni ambition, à contempler, couché dans le belvédère ou accoudé sur le môle, tous ces mouvements de ceux qui partent et de ceux qui reviennent, de ceux qui ont encore la force de vouloir, le désir de voyager ou de s'enrichir. »

Charles Baudelaire, *le Spleen de Paris*, 1865. Il faudrait le rebaptiser « le Spleen de New York ».

10 h 21

Depuis que David est mort, Jerry refuse de le lâcher, pleure sur son front froid, caresse ses paupières closes. Je me lève, le prends dans mes bras, petit prince aux cheveux doux inanimé. Jerry a lu dans mes pensées, il tremble de chagrin. Je suis épuisé de jouer les héros. Comme disait l'hôtesse d'accueil : pas formé pour. Jerry serre mon bras plus fort, de l'autre il tient la main molle de David qui pend et se balance dans le vide. Je serre ma chair d'amour dans ma chemise couverte de suie. Son petit visage noirci comme quand il faisait brûler un bouchon de liège avec une allumette pour se maquiller en Indien, l'été 1997, au Parc national de Yosemite. Je voudrais ne plus me souvenir, mon cœur est trop encombré. Allez, venez les garçons, on va dégager d'ici, faire ce qu'on aurait dû faire depuis longtemps : débarrasser le plancher tous les trois, on the road again, adios amigos, hasta la vista baby, la vitre est brisée, regarde par-delà les Fenêtres du Monde, regarde, Jerry, c'est la liberté ultime, let's go, non, Jerry mon héros, don't look down, garde tes yeux bleus fixés sur l'horizon, la baie de New York, le ballet des hélicoptères impuissants, tu n'as pas vu *Apocalypse Now*, vous étiez si petits, comment les tueurs ont-ils pu, venez mes chéris, mes agneaux, vous allez voir, à côté le Space Mountain c'est du pipi de chat, tiens-moi fort Jerry, je t'aime, viens avec papa, on rentre à la maison, on emmène ton petit frère, venez surfer sur les nuages de feu, vous étiez mes anges et plus rien ne pourra nous séparer, le paradis c'était d'être avec vous, prends ta respiration et si tu as peur, tu n'as qu'à fermer les yeux. Nous aussi on sait se sacrifier.

Juste avant de sauter, Jerry m'a regardé droit dans les yeux. Ce qui restait de son visage s'est tordu une dernière fois. Il ne saignait pas que du nez.

— Maman va être très triste ?

— N'y pense pas. Il faut être fort. Je t'aime, mon cœur. T'es un sacré bonhomme.

— I love you daddy. Eh tu sais, papa, j'ai pas peur de tomber, regarde, je pleure pas et toi non plus.

— Je n'ai jamais connu personne de plus courageux que toi, Jerry. Jamais. Alors t'es prêt buddy ? à trois on y va ?

— Un, deux... trois !

Nos bouches étaient progressivement déformées par la vitesse. Le vent nous faisait faire des grimaces inédites. J'entends encore le rire de Jerry qui serrait ma main et celle de son petit frère en plongeant dans le ciel. Merci pour ce dernier rire, oh my Lord, merci pour le rire de Jerry. Pendant un court instant, j'ai vraiment cru qu'on s'envolait.

10 h 22

Zweig a écrit : « Inconsciemment, New York imite la montagne, la mer et les fleuves. » Et Céline parle d'une « ville debout » parce qu'il n'a pas vu le World Trade Center s'allonger.

Les Américains ont marché sur la Lune, mais le lendemain du 11 septembre 2001, plus besoin d'aller si loin : New York était devenue une planète morte. Un tapis de poussière blanche recouvrait le bitume. Tout ce qui restait d'un immeuble de 110 étages, c'étaient deux poutrelles métalliques tordues comme des doigts griffant le ciel. Comme un module spatial écrabouillé. Le silence troué de sirènes de police. En Amérique tout est plus grand, même les attentats. Chez nous, une station de métro explose, un magasin de vêtements est dévasté, mais les immeubles tiennent à peu près debout. Ici, le premier attentat étranger, c'est tout de suite le plus meurtrier de l'histoire de l'Occident : le plus grand massacre instantané de civils depuis la fondation des Etats-Unis.

J'avais prévu ici un chapitre intitulé « LA MORT MODE D'EMPLOI ». Comme si Georges Perec remplaçait le 11, rue Simon-Crubellier par le coin de Church Street, Vesey, Liberty et West. Mais je suis trop pressé de rentrer; je veux manger mon gâteau de mariage, me serrer contre toi, si tu m'acceptes.

Je lève la tête et adresse un clin d'œil complice à Carthew, Jerry et David qui me voient peut-être dans le brouillard d'hiver gris. La mer emmène le bruit des sirènes, des mouettes, des treuils et des hélicoptères à touristes. New York en noir et blanc, granit et marbre, anéantie, disparaît dans la brume suspendue aux pylônes d'acier. Je vis quand même. Pas besoin d'en rajouter.

10 h 23

Parfois je rêve d'un amas de milliers de tonnes fumantes composé de chair humaine et d'acier fondu, où se mêleraient l'homme et la pierre, les ordinateurs et les bras coupés, les ascenseurs et les jambes brûlées, les croyants et les athées, le feu et le sang... Et puis ça passe. Et puis ça revient : je vois des murs avec des yeux encastrés dedans, des têtes fendues par du verre, des troncs ouverts sur des fax, des cervelles qui dégoulinent sur des photocopieuses. Dieu a créé cela aussi. Et je rêve que je flotte, avec mes deux enfants dans les bras, au-dessus d'une montagne de débris. Et peut-être que je ne rêve pas. Peut-être que nous flottons sur la WTC Plaza, toujours venteuse, encore plus vide sans les tours. Maintenant ils l'appellent le Site, et le font visiter. Le vent souffle toujours, entre le zéro et l'infini. Nous sommes dedans, nous sommes le vent.

Ici même, autrefois, souvenez-vous, l'homme avait bâti deux tours sur cette terre. « Rest ın peace » : ici nous reposons en guerre. Seule la mort rend immortel. Nous ne sommes pas morts : nous sommes prisonniers du soleil ou de la neige. Des rayons de soleil brisés se faufilent dans les flocons qui tombent comme une pluie de confettis blancs au ralenti. Il paraît que les morceaux de verre migrent sous la peau. Mettez du verre dans vos veines. Vous ferez cela en mémoire de moi. Je suis mort pour vous et vous et vous et vous et vous et vous et vous et vous.

10 h 24

J'ignore vraiment pourquoi j'ai écrit ce livre. Peut-être parce que je ne voyais absolument pas l'intérêt de parler d'autre chose. Qu'écrire d'autre ? Les seuls sujets intéressants sont les sujets tabous. Il faut écrire ce qui est interdit. La littérature française est une longue histoire de désobéissance. Aujourd'hui les livres doivent aller là où la télévision ne va pas. Montrer l'invisible, dire l'indicible. C'est peut-être impossible mais c'est sa raison d'être. La littérature est une « mission impossible ».

Le seul intérêt de vivre en démocratie, c'est de pouvoir la critiquer. C'est même à cela qu'on reconnaît qu'on vit en démocratie. Une dictature, on ne peut pas la critiquer. Même attaquée, menacée, bafouée, la démocratie doit prouver qu'elle est démocrate en disant du mal de la démocratie.

Disant cela je m'aperçois que je ne suis pas sincère. Je suis également obligé de reconnaître qu'en s'adossant au premier grand attentat de l'hyperterrorisme, ma prose prend une force qu'elle n'aurait pas autrement. Ce roman utilise la tragédie comme une béquille littéraire.

Il y a une autre raison. Ma généalogie américaine remonte au « Patriot » Amos Wheeler, héros de la Révolution américaine, né à Pepperell, Massachusetts en 1741, et mort à Cambridge, Massachusetts, le 21 juin 1775, à la suite d'une blessure à la cuisse à la bataille de Bunker Hill cinq jours auparavant. Son nom figure sur le Monument de Bunkerhill ainsi que sur le Monument de Washington D.C. Il a laissé un fils posthume, né un mois plus tard, en juillet 1775 : Amos Wheeler II. Sa fille, Olive Wheeler, épousa un dénommé Jobe Knight, et lui donna un fils : Eldorado Knight, lequel épousa Frances Matilda Harben, dont la fille Nellie Harben Knight était la mère de Grace Carthew Yorstoun, ma grand-mère paternelle. Je suis un descendant du Patriot Amos Wheeler de la 8e génération, 228 ans après sa mort. Grace Carthew Yorstoun a épousé Charles Beigbeder, le père de mon père. Elle s'est installée en France, a pris cinquante kilos à force de manger du foie gras, est morte à Pau, dans le Béarn, après avoir donné naissance à deux filles et deux garçons (dont mon père), et tout cela sans jamais se départir de son accent ricain qui faisait sourire les membres du Rotary Club section Pyrénées-Atlantique.

Si l'on remonte huit générations en arrière, tous les Américains de peau blanche sont européens. Nous sommes pareils : même si nous ne sommes pas tous américains, nos problèmes sont les leurs, et les leurs sont les nôtres.

10 h 25

Ce matin-là, nous étions au sommet du World, et j'étais le centre de l'univers.

J'avais raison de dire à Jerry et David que nous étions les clients d'un parc d'attractions imaginaire : aujourd'hui Ground Zero fait l'objet de visites guidées. C'est devenu un site touristique, comme la statue de la Liberté, que nous n'irons jamais visiter. Les tickets pour le WTC Site sont disponibles au Sea Port ; ils sont gratuits. Il y a une longue file d'attente pour monter sur une estrade en bois qui surplombe l'esplanade vide. Le guide presse les voyeurs. Mais il n'y a rien à voir qu'une immense étendue de ciment, un parking sans voitures, la plus grande tombe du monde. La nuit rougit parfois de honte en y pensant ; les immeubles alentour refusent de scintiller. Et le noir nous tient chaud. La rivière est violette et bleue, très jolie vue d'en haut.

Nous sommes devenus un site touristique ; vous voyez les enfants ? maintenant c'est nous qu'on vient visiter.

10 h 26

Au *Noche* (le nouveau restaurant ouvert à Times Square par David Emil, le propriétaire du *Windows on the World*), j'alpague un des anciens employés des *Fenêtres sur le Monde*.

— Je suis un écrivain français et je travaille actuellement à un roman sur votre ancien restaurant.

— Pourquoi ?

— Parce que ma grand-mère était américaine, elle s'appelait Grace Carthew-Yorstoun et je ne suis pas allé à son enterrement. J'étais en Suisse avec mon frère et mon père quand nous avons su la nouvelle. Je préférais skier, il faisait très beau, mon père était très brouillé avec son frère, nous ne sommes pas allés à Pau.

— I'm sorry Sir but I don't understand what you're talking about.

— Je l'ai mal connue. Son prénom était Grace, comme Grace Kelly, mais nous l'appelions Granny. Elle était issue de la vieille bourgeoisie sudiste. A la fin de sa vie, elle ressemblait à Mister Magoo. Vous voyez mon menton en galoche ? C'est d'elle que je le tiens.

— Listen, I've got work to do. And I don't understand french. You're bothering me, Mister !

— Elle descendait de John Adams, le second président des Etats-Unis. J'ai des cousins à Dallas, les Harben. Je ne les ai pas vus depuis vingt-cinq ans. Ils m'ont dit que je descends aussi d'un trappeur célèbre : Daniel Boone.

— So what ?

— We do not hate you. Vous nous faites peur parce que vous êtes les chefs du monde. Mais nous sommes consanguins. La France a aidé votre pays à naître. Puis vous nous avez libérés. Et mon cousin est mort dans votre restaurant le 11 septembre 2001, avec ses deux fils.

Je ne sais pas ce qui m'a pris de mentir de la sorte. Je voulais l'attendrir. La lâcheté rend mythomane. Carthew Yorstoun est le nom de famille de ma grand-mère. Enlève le « u » et tu obtiens Carthew Yorston, un personnage de fiction.

— Excuse me but I'm so sick and tired of Nine-Eleven...

— Ne vous en faites pas, je m'en vais, je ne veux pas vous emmerder. Juste une question : connaissez-vous la chanson de Dionne Warwick ?

— Of course.

Et nous voilà comme deux habitants de la planète Terre, en train de fredonner « The windows of the world are covered with rain », au début on se sent idiots, on n'ose pas, les clients nous croient saouls, on ne chante pas très fort, et puis le refrain arrive et on se met à gueuler comme des gorets, comme des clodos, comme des frères.

10 h 27

Il n'y a rien à comprendre, mes petits fan-
tômes aux petites mains vulnérables. Nous
sommes morts pour rien. L'effondrement de la
tour Nord aura lieu dans une minute (choc de
magnitude 2,3 sur l'échelle de Richter d'une
durée de 8 secondes) mais nous ne le verrons
pas car nous ne sommes plus à bord. Dans la
fumée et les gravats, l'antenne de TV est restée
droite en tombant, avant d'obliquer légèrement
vers la gauche. La flèche descendait dans la
fumée comme le mât d'un navire dans l'écume
de l'océan. La tour n° 1 a mis dix secondes à
s'écrouler entièrement, droite comme une fusée
qui décolle, l'image passée en Reverse. Souvenez-vous tout de même de nous, s'il vous plaît.
Nous sommes les trois phénix brûlés qui renaî-
tront de leurs cendres. Phoenix n'est pas qu'en
Arizona. (page coupée)

10 h 28

La nuit, les avenues de New York sont des rivières de diamants. La nuit, dans cette ville, il ne fait pas nuit. Persuadé d'être unique, je descends West Side Highway à 10 h 28 P.M. comme si je montais sur scène pour recevoir un Oscar. La mort n'a pas voulu de moi à New York. On compare souvent la situation actuelle de l'Occident à la chute de l'Empire romain. Suis-je décadent ? Je ne crois pas. C'est ma façon de vivre qui est suicidaire, pas moi. Je suis juste un nihiliste qui n'a pas envie de crever. La nuit tombe sur le Site : clairière dans la forêt de verre. Un an et demi après le drame, il ne reste du World Trade Center qu'un terrain vague, une plaine grise entourée d'un grillage. Je ne saurai jamais si les choses se sont passées ainsi que je les ai imaginées, et vous non plus. Une sirène dans le soir : le barrissement ricoche dans les rues droites. De la fumée blanche monte des bouches d'égout, entre une Cadillac « For sale » et le trottoir fissuré. Toujours cette fumée, omniprésente auparavant – on la regarde autrement désormais. Monde mort, hanté par les vendeurs de bretzels. Non loin du Mémorial de l'Holocauste (18 First Place, au sud de Battery Park City), j'ai levé la tête : de la musique s'échappait d'un appartement, et des rires de femmes, le bruit des glaçons dans les verres, et la lumière jaune des fêtes américaines. Je connaissais cette chanson, un tube planétaire (*Shine on me* des Praise Cats, avec un piano rythmique de fou et des paroles complètement débiles, comme toujours dans ce genre de hit disco : « I've got peace deep in my soul I've got love making me hope Since you opened up your heart and shined on me. ») J'ai soudain ressenti une joie incroyable, la même bouffée de gratitude que j'avais ressentie le 29 août 1999 lorsque je t'ai tenue dans mes bras et souhaité la bienvenue sur terre. Je tripote dans ma poche la petite boîte bleue de chez Tiffany's qui contient une bague de fiançailles. La sirène du bateau s'est tue. Seule la mélodie *dong dong dong tzing tzing tzing* dérive par la fenêtre comme un courant d'air chaud soulève des rideaux légers en été, et tout le reste est silencieux. Je fredonne ces paroles comme un cantique. « I've got peace deep in my soul I've got love making me hope ». J'ai honte de mon bonheur catholique. Je suis indécent devant le plus grand crématorium du monde. Obscènement, inexplicablement content de vivre, simplement parce que je pense aux gens que j'aime. Les avions vont droit dans le mur et notre société aussi. Nous sommes des kamikazes qui veulent rester vivants. Seul l'amour me donne le droit d'espérer. Les cargos se croisent dans l'obscurité – lumières rouges comme dans une aérogare aquatique, glissant sur le miroir noir. Des oiseaux s'envolent vers les étoiles mortes. Je passe devant le Cunard Building, où l'on achetait, il y a un siècle, son billet pour voyager à bord du *Titanic*. L'embouchure de la rivière polluée se confond avec le ciel. Nous flirtons sans cesse avec le néant, la mort est notre sœur, il est possible d'aimer, sans doute notre bonheur se cache-t-il quelque part dans ce chaos. Dans trente ans y aura-t-il une démocratie mondiale ? Dans trente ans, je serai obligé de déchanter comme le reste de la planète, mais je m'en fous parce que dans trente ans, j'en aurai 70. Quelque part, au loin, sur la mer, la lune ne va pas tarder à se refléter et alors l'eau ressemblera à une piste de danse ou à une pierre tombale. Je suis désolé de vivre mais mon tour viendra. Mon tour viendra.

10 h 29

L'avion qui me ramenait à Paris fendait les nuages avec son aileron de requin. Assis dans un fauteuil à 2 000 km/h au-dessus de cet océan profond, je traversais les nuées afin de rentrer te demander ta main. Je sentais la vie couler dans mes veines comme un courant électrique. Pour m'étirer, je me suis levé. Penché en avant. Et puis j'ai eu une idée. Je me suis allongé par terre, sur la moquette, dans la travée, les deux poings tendus vers le cockpit. L'hôtesse a souri, persuadée que je faisais un exercice de stretching. Et tu sais ce que je me disais ? Qu'il suffisait de fermer les yeux et d'enlever la carlingue et les réacteurs et tous les autres passagers, et qu'alors je serais tout seul dans l'éther, à 16 000 mètres d'altitude, fonçant allongé dans l'azur, à vitesse supersonique. Oui, je me disais que j'étais un superhéros.

Paris-New York City, 2002-2003

REMERCIEMENTS

Merci à Bruce Springsteen pour son dernier album, ainsi qu'à Suicide, Robbie Williams, Sigur Ros, The White Stripes, Richard Ashcroft, Zwan et bien sûr merci à Cat Stevens-Yusuf Islam pour son coffret : *In Search of the Centre of the Universe* (A&M Records).

Merci à Amélie Labrande d'être devenue Amélie Beigbeder.
Merci à Emmanuel Auboyneau pour le jargon financier, à Francisca Matteoli pour la photo du *Windows on the World*, à René Guitton pour les deux tours de Babel.
Merci au *New York Times* (article « 102 minutes : Last words at the Trade Center » de Jim Dwyer, Eric Lipton, Kevin Flynn, James Glanz et Ford Fessenden).
Merci au recueil de témoignages compilé par Dean E. Murphy : « September 11 : An Oral History » (Doubleday).
Merci à Bruno Lavaine pour la chanson de Bacharach.
A Thierry Gounaud pour la couverture.
Et à Canal + pour les indemnités de licenciement.
Et à Vogalène, Smecta, Lexomil, sans qui ce livre n'aurait pas vu le jour.
Merci à *Walks in Hemingway's Paris* de Noel Riley Fitch (St Martin's Griffin, New York) : preuve que certains Américains connaissent Paris mieux que nous.
Merci à Marc de Gontaut-Biron de m'avoir fait visiter le *Cielo*, le *Lotus*, le *Taj*.

Merci à Julien Barbera de m'avoir réservé la meilleure table
chez *Cipriani Downtown*.
Merci à Yann Le Gallais pour son champagne.
Merci à Nicolas Bonnier pour son pétard.
Merci à David Emil et Joey du Noche.
Merci au Concorde...
Et vive Sean Penn!

Cet ouvrage a été composé et imprimé par

FIRMIN DIDOT

GROUPE CPI

Mesnil-sur-l'Estrée

pour le compte des Éditions Grasset
en août 2003

Imprimé en France
Dépôt légal : août 2003
N° d'édition : 12878 – N° d'impression : 64140
ISBN : 2-246-63381-8